# Financieel bij de hand

## Kinderen leren omgaan met geld

FORTE

Dit is een uitgave van
Forte Uitgevers BV
Postbus 684
3740 AP Baarn

Redactie: Charlotte Bakker, Amsterdam en Tekstbureau Omdat, Hilversum
Illustraties: Yon Prüst, 's-Hertogenbosch
Omslagontwerp: Studio Jan de Boer, Amsterdam
Vormgeving binnenwerk: Studyo-n, 's-Hertogenbosch
Ontwerp kasboekjes: Moniek Jannink

ISBN 978 90 5877 899 4
NUR 854



Voor meer informatie over de boeken van Forte Uitgevers:
www.forteuitgevers.nl

Anske Plante en Annet Dries-Heetman

# Financieel bij de hand

## Kinderen leren omgaan met geld

FORTE

## Voorwoord

Mijn symbool van sparen is zonder twijfel de Zilvervloot. Dat was de spaarregeling waarbij, als je geld tot je achttiende vastzette op een bankrekening, de overheid in samenspraak met de bank er een mooie rente op gaf. Ik herinner me de dag nog goed dat ik op mijn achttiende het maximaal te sparen bedrag van mijn rekening mocht halen. Triomf en een mooie spaarpot voor in mijn studietijd!

Nu ik zelf kinderen heb, word ik ook gedwongen na te denken over hoe ik spaargedrag aan moet leren. Daar is alle reden toe. Er verschijnen regelmatig onderzoeken waaruit blijkt dat jongeren makkelijker schulden maken en meer. De wereld is ook veranderd. De prikkels zijn groter. Surfend over het internet vliegen de reclames je om de oren. Mobiele telefoonabonnementen zijn zo afgesloten. Schulden hebben op jonge leeftijd is vaak een slechte voorbode voor de toekomst.

De vraag is hoe je kinderen weerbaar maakt. Hoe breng je de waarde van geld bij? Hoe moet je het overzicht houden en welke keuzes maak je?

Dit boek is een uitkomst daarbij voor ouders én kinderen. Het geeft praktische tips en handvatten om kinderen uiteindelijk op eigen benen te zetten. Maar ook kinderen zelf krijgen op aansprekende wijze les in omgaan met geld.

Volgens mij is een goede financiële opvoeding een van de belangrijkste dingen die je een kind kunt meegeven. Want verantwoord met geld om kunnen gaan, heeft niet alleen consequenties voor de portemonnee, maar vergroot ook de kansen op een prettig leven.

Dit boek helpt daarbij. Kortom: laat u bij de hand nemen. En ik sluit niet uit dat u er wellicht zelf ook nog beter van wordt!

Mirjam Sterk
*Kamerlid voor het CDA*
*Woordvoerder schuldhulpverlening*

# Inleiding

Een goede financiële opvoeding lijkt belangrijker dan ooit. De cijfers liegen er niet om. Wist je dat 20 % van de kinderen tussen de 10 en 12 jaar schulden heeft, rood staat of geld moet lenen? Dat 58 % van de kinderen tussen de 6 en 16 jaar wel eens geld tekortkomt? Dat 10 % van de kinderen al op 8-jarige leeftijd voortekenen van financieel wangedrag vertoont en dat dat percentage op de middelbare school is opgelopen tot 20 %?
Van de volwassenen die een financiële opvoeding hebben gehad, kan 95 % goed met geld omgaan. Het heeft dus zin je kind financieel op te voeden. Maar hoe doe je dat en waar begin je?

## Praten over geld en financiële opvoeding

Over geld praten doe je niet snel. Het kan beladen zijn en soms zelfs leiden tot (familie)conflicten. Geldgesprekken zijn niet altijd leuk en er is heel wat moed voor nodig als je in de schulden zit.
In de tijd dat wij dit boek schreven hebben we met veel mensen gesproken over geld en financiële opvoeding. Dit leverde allerlei reacties op. We merkten dat het heel wat losmaakte. Voor veel mensen is het aanleiding geweest om na te denken over hoe zij en/of hun kinderen met geld omgaan en hoe zij hun kinderen financieel opvoeden. Veelal was dit tevens een aanleiding om met hun kinderen in gesprek te gaan over zaken zoals zakgeld en een zakgeldcontract.

Dit boek is in feite ook begonnen met de vraag of we onze eigen kinderen geleerd hebben goed met geld om te gaan. In onze zoektocht naar relevante boeken bleek dat er weinig over financiële opvoeding is geschreven. Maar naarmate het boek vorderde, groeide ook de aandacht voor het onderwerp en het belang van financiële opvoeding. In het verlengde hiervan worden nu diverse initiatieven opgezet en ontwikkeld, zoals Wijzeringeldzaken en BizWorld.

## Ouders en kinderen

Financiële opvoeding kent twee partijen. De ouders en de kinderen. Als je je kind wilt leren goed met geld om te gaan, dan zul je als ouder zelf voldoende financiële kennis moeten hebben. Jij bent als ouder degene die de kennis moet overdragen en het goede voorbeeld moet geven.

Daarom hebben wij gekozen voor een boek dat bestaat uit twee delen. Een deel voor de ouders en een deel voor de kinderen.
In het deel voor de ouders wordt uitgelegd wat financiële opvoeding is, waarom het belangrijk is en wat het doel is van de financiële opvoeding. We geven je adviezen en praktische tips om je kind te leren goed met geld om te gaan.
In het deel voor de kinderen (ingedeeld in twee leeftijdscategorieën: 6-12 jaar en 13-18 jaar) wordt op een eenvoudige manier uitgelegd hoe hij* zorgvuldig met geld kan omgaan en wat daarvoor nodig is.

Deze tweedeling maakt dit boek uniek.
Een werkboek voor jou én je kind.
Ga met dit boek aan de slag en geef je kind een gezonde financiële toekomst!

* Dit boek is geschreven in de hij-vorm. Hiermee worden natuurlijk ook meisjes bedoeld.

# Inhoudsopgave

## Deel 1 - Financieel bij de hand voor ouders

# Inhoudsopgave

## Deel 2 - Financieel bij de hand voor kinderen

# Financieel bij de hand voor ouders

## Inleiding - De drie O's

Het oudergedeelte is opgebouwd rondom de drie O's. De O's staan voor financiële Opvoeding, Onafhankelijkheid en Oefenen.

1. Financiële Opvoeding is je kind leren goed met geld om te gaan. Je leert je kind overzicht aanbrengen in inkomsten en uitgaven, sparen en het plannen van grotere uitgaven. De financiële opvoeding gaat niet vanzelf. Er komt meer bij kijken dan 30, 40 jaar geleden. Toen werden kinderen minder in verleiding gebracht om geld uit te geven, omdat er minder aanbod was van allerlei producten zoals mobieltjes en computers. Daarnaast wordt de financiële opvoeding, die jij aan je kinderen geeft, bepaald door hoe jij zelf bent opgevoed en de manier waarop jij zelf met geld omgaat.
Wat niet is veranderd, is het principe van financieel opvoeden: het overbrengen van financiële normen en waarden op je kind. De manier waarop je dit kunt doen, is het voordoen. Jonge kinderen zullen je (on)bewust nadoen.

2. Doel van de financiële opvoeding is dat je kind Onafhankelijk zal worden en op eigen benen kan staan.

3. Dit bereik je door je kind te laten Oefenen. Oefening baart kunst. Geef hem leergeld (zak- en/of kleedgeld).

**Bij de hand nemen**
Wacht niet af, maar neem je kind financieel bij de hand.
Dit boek helpt je je kind op te voeden tot een zelfstandige en verantwoordelijke volwassene die financieel bijdehand is en zonder schulden door het leven kan gaan.

# O van (financieel) Opvoeden

## Inleiding

Met het krijgen van kinderen begint automatisch het opvoeden en daarmee in wezen ook het financieel opvoeden. Vaak ben je als ouder compleet onvoorbereid. Er wordt van je verwacht dat je weet wat goed en minder goed is voor je kind. Wat hij eet, drinkt, hoe laat hij naar bed gaat en hoeveel zak- en/of kleedgeld hij krijgt.

*Maaike (28): 'Toen Stijn geboren werd, kregen we veel speelgoed en cadeaus. De kasten lagen vol. Ik werd op dat moment voor de vraag gesteld hoeveel ik Stijn wilde geven aan speelgoed en spullen. Ik had me niet kunnen voorstellen dat ik daar die eerste maanden na de geboorte al over na zou moeten denken.'*

Gelukkig begint opvoeden klein, met een baby die helemaal afhankelijk is van de ouder/verzorger, met een peuter die zeurt om een snoepje in de supermarkt. Als ouder groei je hierin met je kind mee. Dit geldt ook voor de financiële opvoeding. Die begint ook klein, maar:

- vraagt steeds meer van jou als verzorger naarmate je kind ouder wordt. Zolang je kind nog klein is, hoef je niet in discussie te gaan over de financiële regels. Je doet dingen voor en je kind doet het na en neemt het over. Je neemt je kind in alles bij de hand. Je doet dingen samen om je kind daarna alleen te laten gaan. Maar dan opeens begint je kind vragen te stellen, omdat hij in zijn omgeving ziet dat het soms anders gaat dan bij hem thuis (andere kinderen krijgen bijvoorbeeld meer speelgoed). Op dat moment word jij ook geconfronteerd met de vraag waarom je de dingen doet zoals je ze doet. Je kind een goede financiële opvoeding geven, begint bij jezelf.

- je zult merken dat, ook al heb je je voorbereid door allerlei boeken te lezen, je tijdens de financiële opvoeding zelf constant aan het bijleren bent. Je leert jezelf beter kennen op financieel gebied.
- gaat verder dan ervoor zorgen dat er voldoende geld is. Stimuleer je kind om slim met geld om te gaan, moedig hem aan om een baantje te zoeken en beloon hem als hij zijn spaardoel heeft gerealiseerd. Het is belangrijk dat je kind op eigen benen leert staan om uiteindelijk, financieel onafhankelijk van jou, een eigen leven te kunnen leiden.

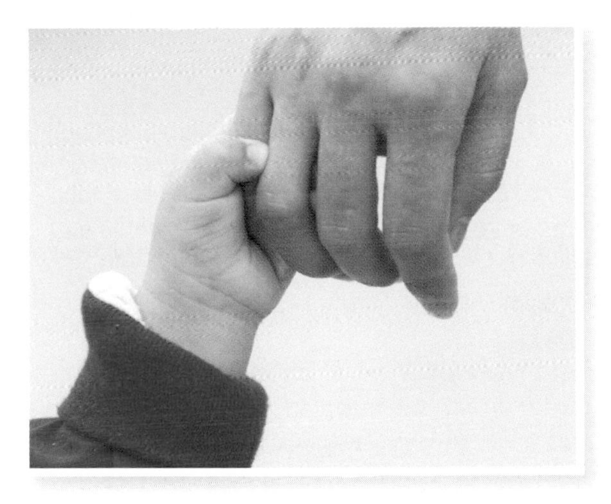

*'Voor ik trouwde, had ik zes theorieën over het financieel opvoeden van kinderen. Nu heb ik zes kinderen en geen theorieën.'*
*(vrij naar John Wilmot)*

In dit hoofdstuk komen de volgende onderwerpen aan bod:

- Wat is financieel opvoeden en wat is het doel ervan?
- Wat is er de afgelopen 30 tot 40 jaar veranderd aan de financiële opvoeding? Is de financiële opvoeding die wij onze kinderen geven anders dan de opvoeding die onze ouders hebben genoten?
- Wanneer en hoe begin je met de financiële opvoeding?

## Financiële opvoeding

Financieel opvoeden is een omvangrijk begrip. Voor de ene ouder bestaat het uit zorgdragen voor voldoende financieel onderwijs ('enge' benadering). Een andere ouder vindt het, in het kader van de ontwikkeling van zijn kind, belangrijk dat het kind zelf geld leert verdienen, een begroting opstelt en een kasboek bijhoudt ('brede' benadering).

Financiële opvoeding is iets van alle tijden. Het is het proces waarbij je kind:

- financiële normen en waarden krijgt overgedragen van jou en van de samenleving;
- financieel wordt gevormd en opgeleid, met als doel dat hij financieel zelfstandig kan functioneren in de samenleving.

Het doel van financieel opvoeden is je kind op te laten groeien tot een zelfstandig, weldenkend, evenwichtig en gelukkig mens. Een mens die in staat is keuzes te maken en ook zijn eigen koers kan bepalen. Maar hoe doe je dat precies? En waar moet je rekening mee houden?

Om je bij de financiële opvoeding te helpen, belichten we twee facetten:

- Wat is het doel van de financiële opvoeding?
- Welke invloed heeft je eigen financiële opvoeding hierop?

## A. Doel bepalen

Financieel opvoeden heeft een doel. Om dat doel te bereiken, moet je je koers bepalen. Vergelijk het met een zeiltocht. Als je van plan bent naar Engeland te zeilen, zul je deze reis goed moeten voorbereiden. Je moet weten:

- Wat is mijn doel? (Naar welke plaats in Engeland wil ik zeilen?)
- Wat kom ik onderweg tegen (o.m. vrachtvervoer, ondiepe wateren)?
- Wat zijn de weersverwachtingen (regen, wind)?
- Hoe staat het met het getij en de stroming?

Daarnaast houd je ook rekening met ervaringen die je tijdens andere reizen al hebt opgedaan, maar je bereidt je ook voor door de ervaringen van andere zeilers te lezen. Een succesvolle zeiltocht staat of valt met de voorbereiding.

Het belangrijkste van je zeiltocht is het doel, de plaats waar je naartoe gaat. Die plaats wil je bereiken. De weg ernaartoe is belangrijk, maar die zul je onderweg constant moeten aanpassen. Als de wind verandert, zul je de koers moeten wijzigen. Als je onderweg te maken krijgt met obstakels, zul je die moeten vermijden. Je houdt constant je kompas in de gaten en je bent voortdurend bezig om je koers bij te stellen. Verder houd je de motor in de gaten, je controleert of de zeilen goed staan en je kijkt om je heen of je andere mogelijke gevaren ziet die je niet van tevoren had kunnen inschatten (zoals andere boten).

Als je niet constant alert bent, loop je bijvoorbeeld het risico dat de boot aan de grond loopt. Door constant je doel voor ogen te houden en je koers voortdurend aan te passen, kom je uiteindelijk aan op de plaats van bestemming. Mogelijk een dag later dan gepland. Maar dat is niet zo belangrijk. Belangrijker is dat de reis zonder problemen en averij is verlopen.

*'De wind staat alleen goed voor het schip dat weet waar het naartoe wil.' (Seneca)*

Trek dit beeld eens door naar de financiële opvoeding. Welk doel wil je bereiken? Welke problemen denk je tegen te komen onderweg? Of tegen welke zaken ben je al aangelopen? Heb je de reis goed in kaart gebracht? Je kunt hierbij ook terugvallen op je eigen 'financiële opvoedreis'.

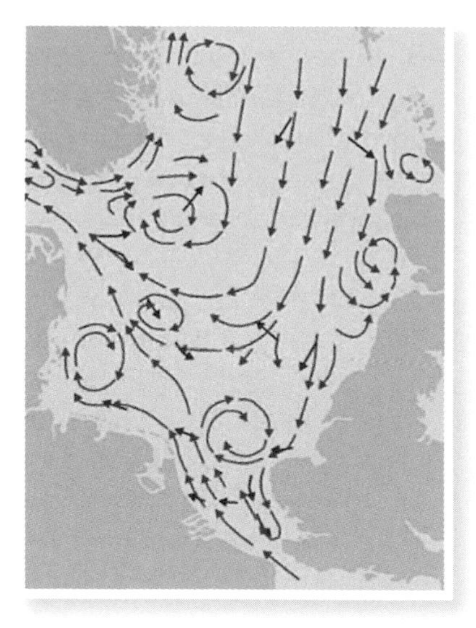

- spelletje voor nintendoo
- spelletje voor de Wiie
- plajmobiel

*Als je het belangrijk vindt dat je kind spaart (als dat een belangrijk doel is van de financiële opvoeding), dan moet je hem hierop voorbereiden. Geef je kind een spaarpot. Bespreek waar hij voor wil sparen en laat hem een verlanglijstje maken. Het duidelijk opschrijven van de wens geeft het kind al rust. Je zult merken dat je kind niet direct naar de winkel hoeft. Op deze manier ontstaat een duurzaam verlangen naar een cadeau. (Henselmans)*

## B. Eigen financiële opvoeding

Belangrijk bij de financiële opvoeding van je kind is de financiële opvoeding die je zelf hebt gekregen. Je brengt namelijk je eigen visie, je ervaringen en de normen en waarden waarmee je bent opgegroeid, over op je kind.

Om inzicht te krijgen in wat voor type geldbesteder je bent kun je de 'financieel-type-test' doen op www.financieelbijdehand.nl.

Ongetwijfeld zijn er dingen die je fijn hebt gevonden in de opvoeding die je ouders jou hebben gegeven. En sommige zaken zul je totaal anders aanpakken, omdat je er geen goede herinneringen aan hebt.

*Sandra (38): 'Toen ik kinderen kreeg, wilde ik hen financieel anders opvoeden dan ik zelf ben opgevoed. Ik wilde hen leren bewust met geld om te gaan. Vroeger was er bij mij thuis wel voldoende geld, maar er werd niet over gesproken. Toen ik op eigen benen kwam te staan, bleek dat ik geen kaas had gegeten van financiën en veel te veel geld uitgaf. Ik heb lange tijd schulden gehad. Het was een leerzame, maar niet zo'n fijne periode. Ik wil mijn kinderen hiervoor behoeden.'*

Als je bijvoorbeeld zelf bent opgevoed met de gedachte 'geld is vies', 'veel geld hebben is asociaal', dan heb je negatieve gedachten over geld. Dit gevoel breng je bewust of onbewust over op je kind.

Je eigen financiële opvoeding heeft een onuitwisbare indruk achtergelaten. Ook al doe je dingen anders dan je ouders, soms merk je – tot je schrik of blijdschap – dat je net je eigen vader of moeder hoort praten. Je neemt bepaalde zaken onbewust over. Het zit dieper in jezelf geworteld dan je zelf misschien denkt.

In gesprekken met broers of zussen merk je soms dat jij de financiële opvoeding heel anders hebt ervaren. Dingen waar jij je aan hebt gestoord, hebben zij niet opgemerkt (en andersom). Dat kan te maken hebben met je eigen plaats in het gezin (oudste, jongste) of de veranderingen waarmee jullie gezin te maken heeft gehad (ziekte, overlijden, werkeloosheid).

*Thomas (41): 'Ik ben de oudste en heb nooit een bijbaantje gehad. Door een ongeval werd mijn vader ziek en hadden we niet veel inkomsten. In die periode gingen mijn broertjes en zusjes een bijbaantje zoeken.'*

Belangrijk is te ontdekken: wat het doel was van je eigen ouders met jouw financiële opvoeding? En belangrijker nog: is dat financiële doel bereikt? Je kunt leren van je eigen ervaring en deze gebruiken bij de financiële opvoedreis die je samen met je kind maakt. Realiseer je dat er zich altijd onverwachte zaken kunnen voordoen. Een flexibele houding van jou als ouder is daarom belangrijk.

## Financiële opvoeding verandert

Financieel opvoeden is anders en minder eenvoudig dan 30, 40 jaar geleden. Als je in gesprek gaat met je eigen ouders over de wijze waarop zij financieel zijn opgevoed, merk je al dat er verschillen zijn.

*Henriëtte (80 jaar): 'Als ik zie hoe mijn kleinkinderen financieel worden opgevoed, dan is dat totaal anders dan de wijze waarop ik zelf ben opgevoed. Zakgeld en kleedgeld heb ik nooit gehad, maar mijn kleindochter moet haar zaakjes financieel zelf regelen.'*

Dat financiële opvoeding verandert heeft vele oorzaken.
We bespreken er drie:

A. Van noaberschap tot opvoeddebat
B. Meer prikkels
C. De lieve vrede bewaren

### A. Van noaberschap tot opvoeddebat

De maatschappij is de laatste 30, 40 jaar ontzettend veranderd. Gezins- en familierelaties zijn complexer geworden en ook de functie van die relaties is veranderd. Voorheen namen gezinnen, families en buren opvoedregels van elkaar over en konden ze elkaar ondersteunen in het houden en naleven van die regels ('noaberschap' - nabuurschap). Binnen dat nabuurschap geldt de verplichting dat buren (in de ruime zin van het woord) elkaar in raad en daad bijstaan.

Tegenwoordig wonen grootouders, ouders, kleinkinderen en andere familieleden ver van elkaar vandaan. Iedereen wordt geacht zelf financiële opvoedregels te bedenken en uit te voeren. En het is ook niet meer vanzelfsprekend om financiële normen en waarden 'klakkeloos' over te nemen van familieleden. Tegelijkertijd ontstaat een enorme behoefte aan adviezen want veel ouders zijn onzeker over hun rol.
De overheid, gemeenten, scholen, consultatiebureaus en speciale tijdschriften voorzien in de behoefte van ouders aan informatie en advies. Op deze manier ontstaan nieuwe manieren om opvoeders met elkaar in gesprek te brengen.

*Els (75 jaar): 'Het was vanzelfsprekend om de normen en waarden over te nemen van je ouders. Toen lagen dingen veel meer vast en was er niet veel discussie. Ik zie dat er nu onderling veel meer met elkaar besproken wordt.'*

**B. Meer prikkels**

Een andere belangrijke verandering is dat er tegenwoordig enorm veel prikkels op ons afkomen. Zeven dagen per week, 24 uur per dag kun je shoppen, informatie verzamelen, gamen, films kijken, chatten en werken. Enerzijds is dat een vooruitgang. Maar anderzijds maken al die prikkels het je moeilijk. Je moet namelijk kiezen.
Ga ik shoppen of gamen? Wanneer heb ik voldoende informatie verzameld? Houd mijn werk op als ik thuis ben of ga ik dan nog e-mails behandelen? Ga ik nog een keer op vakantie of koop ik een andere auto?

Keuzes maken is tegenwoordig lastiger. De keus voor het één, betekent 'nee' zeggen tegen het alternatief. De overdaad aan prikkels leidt tot stress, chaos en onrust. Zowel ouders als kinderen hebben te maken met de veelheid aan informatie en de opgave om dit te filteren en keuzes te maken.

Eens per week met de hele buurt tv kijken (1964)

*'De hoeveelheid informatie die op een kind afkomt voor zijn tiende jaar is meer dan een mens tot voor kort te verwerken kreeg in een heel leven!' (Terpstra, 2008)*

De eerste commercial werd op 2 januari 1967 uitgezonden (www.ster.nl). Tegenwoordig zendt de STER jaarlijks meer dan 115.000 radio- en tv-commercials uit. En elk jaar komen daar zo'n 3.000 nieuwe radiocommercials en 2.500 nieuwe tv-commercials bij. Deze reclame is niet zonder effect. Diverse onderzoeken tonen aan dat een sterke relatie aanwezig is tussen bijvoorbeeld tv kijken en materialisme. Kinderen die meer tv kijken, hechten meer waarde aan geld en bezittingen en denken vaker dat ze daarmee andere waarden in het leven kunnen bereiken, zoals vriendschap, status en geluk (uit *Hoe ouders de strijd met commercie aan kunnen gaan*).

*Christian (4) vraagt zijn moeder terwijl hij naar het toilet gaat: 'Mam, waarom hebben wij geen Ambi-pur?' Zijn moeder vraagt: 'Hoe weet jij wat Ambi-pur is?' Christian: 'Dat heb ik op tv gezien.'*

Kinderen verleiden je tot het doen van de door hen gewenste aankopen. En soms is het moeilijk om ze teleur te stellen.

### C. De lieve vrede bewaren

Kinderen verwachten van jou dat je grenzen stelt. Daar zijn ouders voor. Door de veranderingen die zich voordoen in gezinnen en in relaties, zoals echtscheidingen en het feit dat vrouwen meer zijn gaan werken, is de tijd die je met je kind samen doorbrengt schaarser geworden. De tijd die samen wordt doorgebracht, moet daarom gezellig zijn. In die tijd wil je conflicten uit de weg gaan en stel je daardoor vaak onvoldoende grenzen. Gevolg zal zijn dat je kind de grenzen zelf stelt. Met meestal zeer verstrekkende en vervelende gevolgen.

*Kees (36 jaar): 'Mijn zoon spaart voetbalplaatjes. Van zijn zakgeld koopt hij een zakje maar hij is nooit tevreden. Hij wil altijd meer. Ik koop dan meestal extra zakjes. Ik dacht dat het voor één keertje was. Maar nu zeurt hij er elke keer over en ik koop ze dan maar weer. Eigenlijk vind ik het niet goed, maar ik weet niet hoe ik het moet doorbreken.'*

Je kind heeft grenzen nodig omdat hij niet altijd weet wat goed voor hem is. Als hij 4 jaar is, kan hij in de meeste gevallen nog niet alleen naar school fietsen. Ook al zou hij dat wel leuk vinden. Als hij 10 is en hij heeft een mobiel, dan overziet hij meestal nog niet dat providers op slimme wijze hem 'goedkope' ringtones wil laten afnemen. Deze ringtones lijken gratis, maar vaak zijn het gewiekste constructies die veel geld kosten. Als je kind 14 jaar is, kan hij nog niet overzien welke gevolgen overmatig alcoholgebruik heeft. Jij hebt de plicht je kind voor al die gevaren te beschermen. Dat is niet altijd leuk en er zal ongetwijfeld discussie ontstaan, maar het hoort bij de rol en de taak van de ouder. Deze discussie uit de weg gaan, betekent dat de veiligheid van je kind in het gedrang komt.

## Financiële opvoeding, wanneer en hoe?

In deze paragraaf geven we een antwoord op de volgende vragen:

- Wanneer begint de financiële opvoeding?
- Wat bespreek je met je kind?
- Hoe leer je je kind met geld omgaan?

## A. Wanneer begint de financiële opvoeding?

Het moment en de manier waarop je begint met de financieel opvoeding wordt niet alleen bepaald door de leeftijd van je kind. Je houdt ook rekening met het karakter van je kind en de ontwikkelingsfase waarin hij zich bevindt. Ook zal de plaats in het gezin invloed hebben op het moment waarop je begint met de financiële opvoeding. Een jongste kind uit een gezin zul je eerder om een boodschap sturen dan je destijds met je oudste kind hebt gedaan.

*Bas (9 jaar) vraagt om zakgeld. Zijn moeder vindt dat hij er wel aan toe is. Enige maanden later vraagt zijn jongere broertje Joost van 7 ook om zakgeld. Zijn moeder stemt hiermee in. Joost kijkt al veel 'af' van zijn oudere broer en kan de verantwoordelijkheid van het zakgeld wel aan.*

Het is handig om een eenvoudige richtlijn te hebben om te bepalen wanneer en hoe je begint met de financiële opvoeding. Deze richtlijn bestaat uit drie stappen:

- **Begin jong**, op de leeftijd van **3 of 4 jaar**.
  Vanaf een jaar of 3, 4 kun je je kind in de winkel laten betalen, terwijl jij er naast staat. Je kind herkent op die leeftijd waarschijnlijk nog niet alle munten. Maar hij leert zo wel dat hij moet betalen om spullen in zijn bezit te krijgen.

Laat je kind (4 tot 6 jaar) bijvoorbeeld alleen naar de bakker gaan. Bereid het voor en kijk samen naar het geld dat je kind als wisselgeld heeft gekregen. Speel het boodschappenspel met je kind (www.lassa.nl).

**TIP**

Maak en teken samen met je kind een boodschappenlijstje. Laat je kind tekenen wat nodig is. En laat hem in de winkel afkruisen wat jullie gekocht hebben. Koop niet meer dan wat op het lijstje staat getekend.

- Geef **zakgeld**, vanaf **6 of 7 jaar**
  Zodra je kind de verschillende munten kan herkennen, kun je overwegen om zakgeld te geven. Dit zal het geval zijn als je kind de leeftijd heeft bereikt van 6 of 7 jaar. Het is op deze leeftijd belangrijk om duidelijke afspraken te maken en goed na te gaan of hij zich daar ook aan houdt.

- Geef **kleedgeld**, vanaf **12 jaar**
  Tieners (vanaf een jaar of 12) kun je ook kleedgeld geven. Ook hierbij zijn duidelijke afspraken essentieel, maar tegelijkertijd zul je ze meer verantwoordelijkheden moeten geven.

## B. Wat bespreek je met je kind?

Het is belangrijk om al op jonge leeftijd met je kind te gaan praten. Praten over financiële zaken is tweerichtingsverkeer. Jij mag vertellen wat jij belangrijk vindt. Maar je zult ook open moeten staan voor zaken waar je kind tegenaan loopt. Is het zak/kleedgeld te weinig, hebben andere kinderen meer, moet jouw kind te veel aankopen doen van het zak/kleedgeld (bijvoorbeeld ook de schoenen en de winterjas)?

Bij heel jonge kinderen (4 tot 8 jaar) volstaat het om te zeggen dat ze groot genoeg zijn om eigen geld te hebben en dat ze daar af en toe iets van mogen kopen. Bij hen is het belangrijk dat ze ervaren hoe het is geld te hebben, het uit te geven, geld te bewaren en geld te sparen. Keuzes maken is essentieel in het financiële opvoedproces. Je kind moet leren dat geld maar één keer uitgegeven kan worden. Elke keuze, hoe positief ook, heeft dus twee kanten.

Ga samen eens naar de speelgoedwinkel en bespreek hoeveel geld je kind kan uitgeven. Leg uit dat je voor een bepaald bedrag één grote doos Playmobil kunt kopen, maar ook een paar kleine doosjes. Overleg hierover met elkaar. Laat de keuze aan je kind.

De wat oudere kinderen (8-12 jaar) zullen ook moeten leren dat je moet werken om aan geld te komen. Nog belangrijker is het om in deze fase te leren dat je niet alle dingen direct kunt kopen. Het is nodig om te sparen – misschien wel enkele weken of maanden – voor dingen die duur zijn.

Met kinderen vanaf 12 jaar is het belangrijk om te praten over telefoonabonnementen, aanbiedingen via sms, lenen en schulden maken. Je kunt ze ook al laten wennen aan het idee dat ze vanaf hun 13e kunnen gaan werken, bijvoorbeeld folders rondbrengen.

Uit de praktijk blijkt dat het lastig is om over geld te praten. Wat dat betreft is nog steeds sprake van een taboe. Daarom is het belangrijk om van jongs af aan open te zijn over geldzaken. Je kunt jonge kinderen (vanaf 8 jaar) vertellen hoeveel geld je besteedt aan boodschappen en kleding. Oudere kinderen (vanaf 12 jaar) kun je uitleggen hoeveel de huur of hypotheek bedraagt per maand. Laat je kind eraan wennen dat je met hem over geld praat, maar (nog veel belangrijker) dat hij altijd met jou kan praten over zijn geldzaken.

Leg uit hoe je zelf met geld omgaat. Hoe je voorkomt dat je schulden krijgt. Je kunt vertellen hoe je zelf overzicht houdt in je inkomsten en uitgaven.

Als je zelf nog geen overzicht bijhoudt van je financiën, is dit misschien het moment om dat te gaan doen. Er zijn diverse elektronische kasboeken via internet te vinden.

Hoe goed je de financiële opvoeding ook hebt voorbereid, hoeveel je er ook over praat, je komt altijd onvoorziene situaties tegen. Het kan zijn dat je kind toch een schuld heeft, geld heeft geleend, niet eerlijk is tegen jou. Deze situaties vereisen een flexibele houding van jou als ouder. Houd in alles je doel en de relatie met je kind voor ogen. Zorg ervoor dat je kind met je blijft praten.

### C. Hoe leer je je kind met geld omgaan?

Door je kind zakgeld en/of kleedgeld te geven, leert hij met geld omgaan. Daarom wordt het zak- en kleedgeld ook wel leergeld genoemd. Je wilt dat je kind de waarde van geld leert ervaren en kennen.

Doordat je zak/kleedgeld geeft, word je niet elke dag geconfronteerd met de vraag om extra geld en leert je kind zelf keuzes te maken (in plaats van dat jij dat blijft doen).

De hoogte van het zak/kleedgeld is afhankelijk van het bedrag dat jezelf te besteden hebt. Daarnaast wordt de hoogte van het bedrag aan zak/kleedgeld bepaald door dat wat je kind ervan moet betalen.

Als je dat bepaald hebt, kun je kijken of het bedrag enigszins overeenkomt met de onderstaande richtlijnen van het Nibud (www.nibud.nl, 2009).

| | Zakgeld per maand | Kleedgeld per maand |
|---|---|---|
| 6 jaar | € 4 | |
| 7 jaar | € 5,60 | |
| 8-9 jaar | € 6 | |
| 10-11 jaar | € 10 | |
| 12-13 jaar | € 10-20 | € 20-65 |
| 14-15 jaar | € 16-30 | € 40-80 |
| 16-17 jaar | € 20-40 | € 50-80 |
| 18 jaar en ouder | € 20-50 | € 50-100 |

Voor kinderen vanaf 6, 7 jaar is het geven van zakgeld een eerste stap. Maak de volgende afspraken:

- Hoeveel bedraagt het zakgeld?
- Wanneer krijgt hij het zakgeld? Bij jongere kinderen is het beter om wekelijks zakgeld te geven. Jonge kinderen kunnen een maand nog niet overzien.
- Wat moet hij doen met het zakgeld?
- Wat mag hij niet kopen van het zakgeld?
- Moet hij een overzicht bijhouden van de uitgaven en hoe ziet dat overzicht eruit?
- Hoe vaak en wanneer bespreek je het overzicht van de uitgaven met hem?

Schrijf deze afspraken op, neem ze samen door en onderteken het papier allebei. Zo ontstaat een heus zakgeldcontract. Voor een voorbeeld zie: www.klasse.be.

Voorbeeld van een zakgeldcontract

Door je kind uit te leggen wat hij met het zakgeld kan doen, schep je duidelijkheid. Als je met je kind afspreekt dat hij van dat geld geen snoep mag kopen, maar wel speelgoed, voorkom je eindeloze discussies. Je kind weet vooraf waar hij aan toe is. Laat die duidelijkheid ook blijven bestaan en kom zelf niet voortdurend terug op je eigen afspraken.

Ga ook niet in onderhandeling met kinderen van deze leeftijd. Jouw wil kan nog wet zijn.

Bij kinderen in de leeftijd tussen 8 en 12 jaar zijn de regels wat uitgebreider. Er zal waarschijnlijk meer zakgeld worden gegeven. Geef je kind alleen wel wat meer vrijheid.

Extra regels:

- Welk deel van het zakgeld moet worden gespaard?
- Welk deel van het zakgeld mag het kind naar eigen inzicht besteden?
- Bespreek periodiek met je kind of hij tevreden is over de uitgaven.

Let op dat je geen oordeel geeft, maar maak je kind bewust van zijn gedrag. Vraag en luister.

Met kinderen boven de 12 jaar moet je meer afspraken vastleggen. Naast het zakgeld krijgt 35 % van de kinderen tussen de 12 en 18 jaar ook kleedgeld (Nibud, 2011).

Maak van tevoren afspraken over wat er wel of niet gekocht mag worden van het zak/kleedgeld. Moeten de kosten van het mobieltje van het zakgeld worden betaald? Vallen schoenen en een winterjas onder het kleedgeld? Geef je elke week nog extra geld voor een broodje op de sportclub of wordt dat betaald van het zakgeld? Door vooraf duidelijkheid te scheppen, voor jezelf én voor je kind, weet je allebei waar je aan toe bent.

Als je je kind wilt leren hoe hij met zak/kleedgeld en eventueel extra inkomen van een bijbaantje moet omgaan, zal hij de inkomsten en uitgaven moeten bijhouden. De inkomsten en uitgaven moeten met elkaar in evenwicht zijn. Nog beter is het om meer inkomsten te hebben dan uitgaven. Maar als je meer uitgeeft dan je binnen krijgt, heb je een probleem. Zo eenvoudig is het.

Om goed met geld om te kunnen gaan moet je kind de volgende vier punten beheersen:

- Inkomsten verdelen over een aantal ‘potjes’.
- Vastleggen inkomsten en uitgaven.
- Uitgaven plannen in de tijd.
- Uitkomen met een vast bedrag.

### *Inkomsten over een aantal 'potjes' verdelen*

Vroeger bestond het spaarblik van Brabantia. Dit blik had verschillende vakjes waar je het geld over verdeelde. Het geld in het eerste vakje was bijvoorbeeld bedoeld voor kleding, het geld in het tweede vakje voor gas en licht. Het huishoudgeld werd dus direct verdeeld over diverse potjes voor de belangrijkste kostenposten.

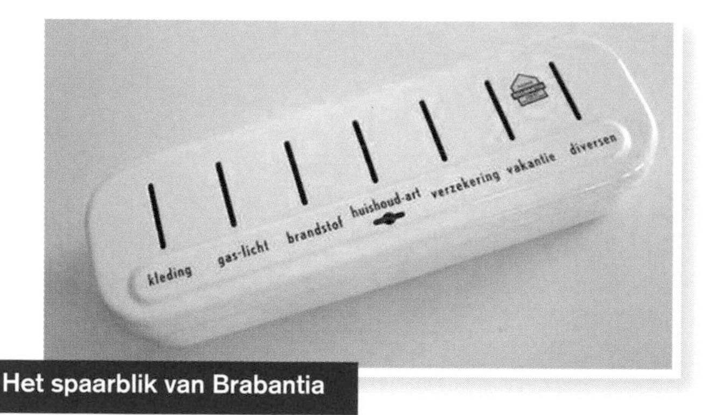


Het spaarblik van Brabantia

Een goed alternatief hiervoor zijn verschillende glazen potjes. Je kunt je kind het geld over de potjes laten verdelen. Dit is praktisch, omdat hij dan ziet wat verdelen is en wat het betekent. Hij ziet en ervaart dat het geld in het potje bestemd voor cadeaus niet meer uitgegeven kan worden aan iets anders. Je kunt het zakgeld verdelen in:

- geld voor speelgoed;
- geld voor snoep;
- geld voor de telefoon;
- geld dat gespaard moet worden;
- geld om uit te gaan;
- geld voor cadeaus.

Geef alle potjes een duidelijke naam. Een potje met de naam 'overig' werkt niet. Het is onduidelijk wat je daar precies uit moet betalen. Het wordt een stuk gemakkelijker om het leergeld te verdelen als je je kind muntstukken geeft (in plaats van papiergeld). Jongere kinderen leren zo ook snel de munten herkennen.

## Tip

Maak met je kind een aantal van deze spaarpotjes. Beplak ze.

***Vastleggen inkomsten en uitgaven***

Als kinderen wat ouder zijn, zo vanaf een jaar of 10, kun je een begin maken met een kasoverzicht, een kasboek. Dat is niets anders dan een lijst waarin je de uitgaven en inkomsten bijhoudt. Zie het onderstaande voorbeeld.

| Omschrijving | Datum | Inkomsten | Uitgaven | Saldo (inkomsten-uitgaven) |
|---|---|---|---|---|
| Zakgeld | 1/6 | + € 20 | | € 20 |
| Telefoon opwaarderen | 2/6 | | - € 10 | € 10 |
| Snoep | 3/6 | | - € 2 | € 8 |
| Verdiensten met oppassen | 5/6 | + € 5 | | € 13 |
| | | | | |

### *Uitgaven plannen in de tijd*

Jonge kinderen zullen het geld direct willen uitgeven. Ze begrijpen nog niet dat ze het zakgeld moeten verdelen over een week. Je kunt ze helpen door een lijstje te maken met daarop alle dagen van de week. Bespreek met ze op welke dag ze een deel van het geld mogen uitgeven.

Oudere kinderen hebben een beter besef van tijd (vanaf een jaar of 9, 10). Ze begrijpen dat je geld opzij moet leggen om later iets te kunnen kopen.

Bespreek in elk geval met je kind dat hij al zijn wensen eerst moet opschrijven of tekenen. Hij moet leren dat alles wat hij wenst niet direct gekocht hoeft te worden. Het opschrijven of tekenen van een wens zal al wat rust brengen in het verlangen om het direct te kopen. Een wens die al wat langer op papier staat (duurzaam verlangen), is iets dat hij heel graag zou willen kopen.

Help je kind in het plannen en het maken van keuzes. Tegenwoordig lijkt het erop dat iedereen alles kan kopen. Leg uit dat dit zo lijkt, maar zeker niet altijd het geval is. Keuzes maken is moeilijk, maar geen keuzes maken leidt tot problemen. Accepteer wel de keuzes die je kind maakt, ook al zijn het niet jouw keuzes. Het feit dat hij een keuze maakt, is belangrijker dan welke keuze hij maakt.

***Opdracht om over na te denken***

*Joris (8 jaar) wil heel graag een boek van € 10 kopen. Hij krijgt € 1,50 zakgeld per week. Hoe krijgt hij het geld voor het boek bij elkaar?*
*Spreek je met hem af dat hij gaat sparen?*
*Of leg je een bedrag bij?*
*Krijgt hij het boek, als hij het vraagt, voor zijn verjaardag?*
*Kan hij met klusjes in huis geld verdienen om zo het boek te kopen?*

### Uitkomen met een vast bedrag

Oudere kinderen zullen regelmatig vragen om iets extra's. Als je steeds bijspringt of spullen voor ze koopt, is de les die te leren valt niet duidelijk. Financiële problemen oplossen voor je kind is niet hetzelfde als financieel opvoeden. In het proces van financiële opvoeding is het zinvol om de oorzaak van het tekort te bespreken.

- Ga met je kind in gesprek over de oorzaak van het tekort. Leg duidelijk uit dat de bedoeling van zak/kleedgeld is uit te komen met een vast bedrag. Extra geld lenen is niet de bedoeling.
- Vraag je kind of hij misschien ergens anders geld heeft geleend, bijvoorbeeld van vrienden.
- Doe suggesties (extra geld verdienen, uitgaven beperken), maar laat hem zelf met een oplossing komen. Vaak is hij creatiever dan je denkt. Hij kan gaan oppassen, een krantenwijk nemen, auto's wassen enzovoort. Je kunt hem wijzen op mogelijkheden, hem laten zien waar mensen hulp bij kunnen gebruiken. Maak hem enthousiast om extra geld te verdienen. Eigen geld geeft een gevoel van vrijheid en onafhankelijkheid.

***Opdracht om over na te denken***
*Je dochter past één avond per week gratis op haar broertje. Als ze bij haar tante oppast, verdient ze € 8 op een avond. Klopt dat wel of niet?*

Blijf met je kind in gesprek. Ga elke week/maand om de tafel zitten en neem het kasboek door. Je bent er dan nog tijdig bij om te voorkomen dat er schulden gemaakt worden. Zo wordt een solide basis gelegd voor een gezonde financiële situatie.

Praten over geld betekent ook dat je bij jezelf te rade moet gaan wat jouw eigen visie is op geld. Hoe kijk je tegen geld aan? Dat kan zowel positief als negatief zijn, afhankelijk van onder meer je opvoeding en omgeving.

## Samenvatting

Het doel van de financiële opvoeding is je kind op te laten groeien tot een zelfstandig, weldenkend, evenwichtig en gelukkig mens. Een mens die in staat is keuzes te maken en ook zijn eigen koers kan bepalen.

- Begin jong op de leeftijd van 3 of 4 jaar.
- Geef zakgeld vanaf 6 of 7 jaar.
- Geef kleedgeld vanaf 12 jaar.

Om goed met geld om te kunnen gaan, moet je kind de volgende vier punten beheersen:
- Inkomsten verdelen over een aantal 'potjes'.
- Vastleggen inkomsten en uitgaven.
- Uitgaven plannen in de tijd.
- Uitkomen met een vast bedrag.

Maak een zakgeldcontract.

Zakgeldcontract

Ingangsdatum zakgeldcontract:
......................

Zakgeld bestemd voor: ..........................
Ik krijg elke week op ............dag mijn zakgeld.
Ik krijg elke week € ............ zakgeld.

We spreken het volgende af:
€ ... moet ik sparen.
€ ... moet ik besteden aan cadeaus.
€ ... mag ik vrij besteden.

Verder spreken we nog af:
- dat ik broodjes op school en de voetbalclub van mijn zakgeld koop;
- dat ik de gesprekskosten van mijn mobiel ook van het zakgeld betaal;
- dat ik geen geld mag lenen;
- dat ik dit kasboek steeds aan het eind van de maand bespreek met mijn vader en moeder.

Datum: ..............................
Handtekening: .............................. (ouder)
Handtekening: .............................. (kind)

# O van Onafhankelijkheid

## Inleiding

Doel van de financiële opvoeding en het oefenen om met geld om te gaan, is je kind financieel onafhankelijk te laten worden. Weet je nog hoe het voelde toen jij voor het eerst geld kon uitgeven, zonder dat je ouders je controleerden of over je schouders meekeken? Je voelde je groot en vrij. Onafhankelijkheid is het vermogen om dingen zelf te doen.

Bij een financiële opvoeding geef je je kind de ruimte om te ontdekken wat hij kan kopen, maar ook waarmee hij misschien beter nog even kan wachten. Je laat hem ervaren hoeveel geld hij nodig heeft om door financiële dalen te gaan en tegenvallers op te vangen. Nog belangrijker is dat hij leert om zijn hand niet op te houden bij zijn ouders, vrienden en instanties.

Ouders maken zich vaak zorgen om hun kind. Tegenwoordig zijn ze bovendien vaak geneigd problemen van hun kind over te nemen en op te lossen. Veel ouders betalen extra voor de telefoon of leggen bij als hun kind geld tekort komt. Op korte termijn lijkt dit een oplossing. Maar in plaats van je kind zelf verantwoordelijk te laten zijn voor zijn eigen problemen, zadelen ze zichzelf en hun kind op met een nog groter probleem: een financieel afhankelijk en onwetend kind. 'We creëren financiële baby's' (Van Heijst & Verhagen, 2010).

Het boek *Geld rolt* is geschreven naar aanleiding van een onderzoek onder jongeren in Utrecht. Dit onderzoek biedt nieuwe ideeën en werkwijzen voor professionals om jongeren te leren gezond met geld om te gaan.
In het boek wordt geconstateerd dat het tegenwoordig extra belangrijk is om kinderen voor te bereiden op het maken van gezonde financiële afwegingen. En ook de jongeren zelf blijken behoefte te hebben aan ondersteuning bij deze financiële bewustwording en geven aan hier open voor te staan (Van Heijst & Verhagen, 2010).

In dit hoofdstuk bespreken we hoe je je kind financieel los kunt laten en waarom je dat als ouder zelfs móét doen (Nelis & van Sark, 2009). Loslaten, je kind onafhankelijk laten worden, betekent ook vertrouwen geven aan je kind. Met een aantal concrete tips helpen we je hier verder mee. Tot slot zullen we zeven belangrijke stappen met je doornemen zodat je echt een begin kunt maken met de financiële onafhankelijkheid van je kind.

***Opdracht om over na te denken***
*Waar denk je aan bij onafhankelijkheid? Heeft onafhankelijkheid een positieve of negatieve betekenis voor jou?*

## Loslaten

Onafhankelijkheid staat of valt met loslaten. Dit begint al vroeg. Zodra een kind zijn eerste stapjes wil zetten, moet je hem letterlijk loslaten. Dit is een belangrijk onderdeel van de algemene opvoeding. Bij de financiële opvoeding gaat het om loslaten in figuurlijke zin. Het is belangrijk om als ouder hierin het initiatief te nemen. Doe je dit niet, dan zal je kind zich op een gegeven moment los gaan worstelen (ontworstelen) van jou. Dat gaat gepaard met negatief gedrag en negatieve gevoelens.
Ouders verwarren de drang naar zelfstandigheid nog al eens met rebellie, ongehoorzaamheid of disrespect. Maar het is juist gezond

dat kinderen strijden om meer autonomie (Nelis & van Sark, 2009). Geef je kind de ruimte om te leren meer zelf te doen en weersta de verleiding alles te blijven controleren.

***Opdracht om over na te denken***
*Waarom is financieel loslaten moeilijk voor jou?*
*Hebben jouw ouders je losgelaten? Hoe heb je dit ervaren?*

Loslaten is het tegenovergestelde van controle uitoefenen. Als je je kind niet loslaat, ben je continu bezig hem te controleren. Dat geeft een beklemmend gevoel bij je kind. Je geeft je kind het gevoel dat je hem niet vertrouwt en je beperkt hem in zijn ontwikkeling.

***Verplaats je in je kind***
*Jij wordt de hele tijd door je kind in de gaten gehouden. Elke dag moet je de uitgaven van die dag met hem bespreken. Hoe zou je dat vinden?*

De andere kant van de zaak is dat met het onafhankelijk worden van je kind de relatie tussen jullie anders gaat worden. Eerst was je kind in alles van jou afhankelijk (bijvoorbeeld als baby) en op een gegeven moment heeft je kind jou niet meer nodig. Dat kan moeilijk zijn voor jou.

Als ouder groei je naar deze situatie toe. En bovendien: het hoort er ook bij, het is een natuurlijk verloop.

We gaan in deze paragraaf in op zes aspecten van het loslaten:

- Loslaten is moeilijk.
- Belang van het loslaten.
- Loslaten of laten vallen?
- Wat doet het met je kind als je niet loslaat?
- Wat doet het met jou als je niet loslaat?
- Wat als je het loslaten uitstelt?

**Loslaten is moeilijk**

Er zijn vier redenen waarom het moeilijk is je kind financieel los te laten:

- Je denkt als ouder dat je kind nog niet zelfstandig genoeg is om bepaalde beslissingen te nemen.
- Je hebt niet veel vertrouwen in je kind.
- Tegenwoordig zijn er veel keuzemogelijkheden en talloze verleidingen.
- Het is moeilijk om te accepteren dat je kind andere keuzes maakt dan jij.

Meningen en overtuigingen die je tijdens je leven gevormd hebt, spelen een grote rol bij het loslaten of vasthouden van je kind. Het zijn meningen en overtuigingen die waarheden zijn geworden en zijn gevormd door onder meer je eigen opvoeding, je ouders, de invloeden van je omgeving en de media. Maar zijn ze ook echt reëel? Om sommige meningen te relativeren kun je je afvragen hoe erg het eigenlijk is als je kind geen geld meer heeft en niets meer kan kopen. Wat is het ergste dat zou kunnen gebeuren?

***Opdracht om over na te denken***

*Wat gebeurt er met je kind als hij halverwege de maand geen geld meer heeft en niets meer kan kopen? Hoe erg is dit?*

*Wat doet dit met jou? Kun je zijn probleem loslaten? Zo nee, waarom wil je het eigenlijk overnemen en het jouw probleem maken?*

## Tip

Laat je kind in stapjes los. Bedenk iets kleins (laat hem bijvoorbeeld zelf zijn kleding uitzoeken) en begin daar morgen mee.

### Belang van het loslaten

Om op te groeien, moet een kind kunnen experimenteren met grenzen en moet het zijn eigen vleugels kunnen uitslaan. Om hem daarin de ruimte te geven, is loslaten ontzettend belangrijk. Niet loslaten maakt je kind vleugellam en als hij dan gaat vliegen...

Loslaten betekent niet dat je niet meer let op wat je kind doet. Het betekent in de buurt blijven en hem helpen als hij jou nodig heeft. Houd in gedachten wat het doel is van loslaten. Dat is geen kortetermijndoel, maar een doel op lange termijn. Het is belangrijk voor je kind om zijn gevoel van zelfsturing, zelfbeheersing en zelfdiscipline te kunnen ontwikkelen. En dat gaat nu eenmaal gepaard met vallen en opstaan. Geef hem ruimte, maar blijf in de buurt. Zorg dat hij zich veilig voelt bij je en dat hij voor vragen bij je terechtkan. Zo ben je toch betrokken en heeft je kind het gevoel dat hij meer zelfstandig kan functioneren.

Onafhankelijk betekent ook dat je kind vrij is. Daar profiteert hij zijn hele leven van. Daarom moet hij nu al kennis vergaren zodat hij later niet afhankelijk is van een bank, of slaaf is van een lening die moet worden afbetaald.

**Loslaten of laten vallen?**

Loslaten zorgt ervoor dat je kind zelfstandig kan worden. Te vaak wordt dan gedacht dat je je kind dingen alleen laat doen. Maar dat betekent zelfstandigheid niet in alle gevallen. Zelfstandigheid is je kind dát laten doen waar hij aan toe is. En dat kan betekenen: met jouw hulp en in jouw aanwezigheid. Je laat je kind dus niet opeens los en je laat hem niet vallen. Opvoeden vereist een balans tussen betrokkenheid en onafhankelijkheid.

Vanaf een jaar of 10-12 krijgt je kind meer behoefte om dingen zelfstandig te doen. Dat komt omdat hij wil ontdekken wie hij zelf is. Hij wil zelf beslissingen nemen. Soms zijn dit andere beslissingen dan die je zelf zou hebben genomen. Eigen keuzes maken, betekent ook dat hij zelf verantwoordelijk is voor zijn keuzes (goed en slecht). Je kind zelf beslissingen laten nemen, maar de consequenties ervan overnemen, heeft geen zin. Sterker nog: het heeft een averechts effect, want hij leert er niets van. De kans op herhaling van die beslissing is dan groot. Praat met hem over hoe het probleem is ontstaan en hoe hij het denkt op te lossen.

Door te leren van de ervaring, is je kind beter in staat de juiste afwegingen te maken. Want als hij 18 jaar is (meerderjarig en handelingsbevoegd) mag hij zelf een telefoonabonnement afsluiten of kopen bij een postorderbedrijf. Hij heeft jouw toestemming daar niet meer voor nodig. Jij hebt dan als ouder geen invloed meer en je kunt alleen maar hopen dat hij verstandig zal handelen.

**Tip**

Begin vroeg met loslaten en ga ruim voordat je kind 18 jaar wordt het gesprek aan over geldzaken.
Vanaf dat moment gelden namelijk andere rechten en plichten.
Hij mag bijvoorbeeld zelfstandig producten kopen via internet.
Maak hem bewust van de extra vrijheid, maar ook van de risico's/verleidingen die daarbij horen.

### Wat doet het met je kind als je niet loslaat?

Bij te veel bescherming en controle neem je als ouder je kind taken uit handen die hij, gezien de ontwikkelingsfase, zelf zou moeten doen. Hij krijgt niet de ruimte voor inbreng en is dus ook niet gemotiveerd om zelf zaken anders te organiseren en met oplossingen te komen als er problemen zijn. Sterker nog: het maakt hem niet zoveel uit hoe groot de problemen worden. Jij lost toch alles op. Maar hoelang wil je een blanco cheque blijven uitschrijven voor je kind?

Wanneer je verzuimt je kind te leren beslissen, beroof je hem van een vaardigheid die vitaal is voor de rest van zijn leven. Als je er daarentegen vroeg mee begint, wordt het een tweede natuur. Dit pleit er voor om je kind al zo jong mogelijk veel zelf te laten beslissen. En jij bent degene die hem moet leren hoe hij dat moet doen (Verdegaal, 2006).

### Wat doet het met jou als je niet loslaat?

Als jij als ouder je kind niet loslaat, zul je je altijd verantwoordelijk voelen. Dit uit zich in overbezorgdheid, stress en eventueel ruzies over geld. Bovendien zul je veel tijd kwijt zijn aan het 'zorgen' voor je kind. De realiteit wijst uit dat kinderen die zelfstandigheid vroeg of laat gaan opeisen, zonder overleg te plegen in dat proces. Het geleidelijk loslaten is dus niet alleen goed voor je kind maar ook voor jou. Want kinderen groeien van zelfstandigheid. Ze laten zien dat ze zaken zelfstandig kunnen afhandelen en dat jij vertrouwen in ze kunt hebben.

### Wat als je het loslaten uitstelt?

Het uitstellen van loslaten ligt vaak aan jezelf en niet aan je kind. Uitstelgedrag is goed te verklaren:

- het is een natuurlijke behoefte van mensen om dingen te doen die op korte termijn een plezierige opbrengst geven (dus extra geld geven voor die telefoon om je kind tevreden te houden en daarmee blijft de situatie thuis ook prettig);
- perfectionisme (hij kan het toch niet zo goed als ik en áls we het doen wil ik het op mijn manier aanpakken);
- niet weten waar je moet beginnen (zak- en kleedgeld, regels, eigen verantwoordelijkheid, zakgeldcontract);
- teveel tegelijk willen oppakken (financiële opvoeding, huiswerk, huishoudelijke regels enzovoort).

***Opdracht om over na te denken***
*Hoe ziet de situatie eruit als je de financiële opvoeding blijft uitstellen? Hoe ziet jouw toekomst er dan uit? En die van je kind?*

Uitstelgedrag is heel menselijk en ook verklaarbaar. Maar van het uitstellen van loslaten heb je wel last. Het zorgt voor een ontevreden gevoel. En je belandt in een negatieve spiraal. 'Zie je wel, hij kan het toch niet.'

**Tip**
Let op het langetermijneffect. Wees wat minder perfectionistisch, niet alles hoeft op jouw manier te gaan.

## Loslaten en vertrouwen

Loslaten begint bij vertrouwen hebben in je kind. Iedere ouder gaat daar op zijn eigen manier mee om. De ene ouder heeft van nature een rotsvast vertrouwen in zijn kind, terwijl de andere ouder wantrouwig is.
Ouders die hun kind vertrouwen, zullen hem zelf beslissingen laten nemen. Ouders die wantrouwend zijn, hebben daar meer moeite mee. Misschien zijn er dingen gebeurd, die ertoe hebben geleid dat je je kind niet meer durft te vertrouwen. Een klein voorbeeld: elke maand moet je kind, zoals afgesproken, uitkomen met zijn zakgeld. En nu heeft hij al voor de tweede keer bij jou aangeklopt, met een telefoonrekening van € 100. Het is dan niet gemakkelijk om de volgende maand erop te vertrouwen dat je kind wel gaat uitkomen met zijn zakgeld. Toch zul je dit moeten proberen. Deze gedragsverandering is niet van het ene op het andere moment gerealiseerd. Je kunt deze verandering versnellen door in ieder geval te doen alsof je je kind vertrouwt. Hierdoor ga je er zelf in geloven en schenk je het kind vertrouwen. En dat merkt hij.

De andere kant van het verhaal is de vraag of het reëel is dat je je kind niet vertrouwt. Ouders denken tegenwoordig dat ze precies weten wat er zich in het leven van hun kind afspeelt. Maar dat is een absolute illusie. Als je dus niet alles over je kind weet, is er ook geen reden om hem bij voorbaat te wantrouwen.
Je weet bijvoorbeeld niet precies hoe financieel handig of onhandig je kind met geld omgaat. De kans is aanwezig dat hij financieel slim met geld omgaat, zeker in vergelijking met klasgenoten. Dus ga niet uit van zaken die je niet weet, maar ga uit van de feiten en realiteit.

***Opdracht om over na te denken***
*Hoe kijk jij tegen je kind aan? Vertrouw je hem of juist niet? En zo nee, waarom niet?*

Kleine kinderen (onder de 8 jaar) zijn gemakkelijk te vertrouwen, omdat je beter zicht hebt op hun leven. Je doet er daarom goed aan het vertrouwen al jong op te bouwen. Je kunt dat doen door transparant en duidelijk te zijn over jullie gezinsfinanciën. Dit zorgt voor betrokkenheid van alle gezinsleden bij de uitgaven. Je hoeft niet direct te vertellen wat je verdient. Maar je kunt je kind wel betrekken bij beslissingen over uitgaven.

## Tip

Bespreek ook eens een grote uitgave met je kind, bijvoorbeeld de vakantie. Gaan jullie wel of niet, ver weg of dichtbij, wat zal het gaan kosten, hoeveel geld hebben jullie daarvoor over? Het gaat dus niet om de uiteindelijke beslissing, maar om het traject dat eraan voorafgaat.

Jonge kinderen leren hiermee:

- dat je soms 'nee' tegen dingen moet zeggen om andere dingen te kunnen doen.
- dat er altijd alternatieven zijn die ook de moeite waard zijn.
- aanvoelen of en wanneer ze sommige dingen wel/niet kunnen vragen.

***Opdracht om over na te denken***

*Hoe transparant ben je over de gezinsfinanciën? Regel je alles, zonder te bespreken wat het kost? Waarom doe je dat? Of betrek je je kind bij financiële beslissingen? Wat levert het je op?*

Uit de praktijk blijkt dat kinderen die gewend zijn af en toe mee te praten en mee te denken over de gezinsfinanciën, later hun uitgaven met meer verantwoordelijkheid benaderen. En niet onbelangrijk, ze zullen ook transparanter zijn richting jou over hun eigen financiën. Dit resulteert er weer in dat jij als ouder meer vertrouwen krijgt in je kind. Een positieve spiraal.

Het is belangrijk dat je als kind vertrouwen krijgt van je ouders. Je kind gaat zijn eigen persoonlijkheid ontwikkelen en durft steeds meer zijn eigen mening te geven. Het gevolg is dat hij onder meer met geld gaat experimenteren, met alle mogelijke risico's van dien. Hij wil echter het gevoel hebben dat je als ouder achter hem staat (Nelis & van Sark, 2009).

Bij pubers bestaat niet alleen het gevaar dat we hen onderschatten, maar ook dat we hen overschatten. Dat ze zo handig zijn met de computer wil nog niet zeggen dat ze ook handig zijn met geld. Omdat bepaalde hersendelen nog niet (goed) ontwikkeld zijn, hebben zij problemen met plannen en vooruitkijken. Dit is een goed argument om als ouder je kind niet blind te vertrouwen.

Hoe laat je los en schenk je vertrouwen? Houd daarbij de volgende zes punten in de gaten:

- Blijf zelf verstandig.
- Wees eerlijk en duidelijk.
- Breng het positief.
- Bemoei je er niet mee, maar informeer je kind.
- Wacht met het vellen van een oordeel.
- Maak je kind tot partner.

**Blijf zelf verstandig**

Jij bent volwassen en je kind is dat nog niet. Je kind is niet in staat om alle prikkels en verleidingen van telefoon, computer enzovoort, te weerstaan.

Als je merkt dat je kind niet goed met geld kan omgaan en te veel belt of te veel (via internet) koopt, grijp dan in en wacht niet af. Verwacht niet dat een simpele vermaning werkt. Vaak kun je het beste zelf (op een luchtige manier) de telefoon uitzetten/tijdelijk afpakken, omdat je kind zelf niet in staat is om die prikkel te weerstaan.

**Wees eerlijk en duidelijk**
Je kind lijkt soms al volwassen, maar is dat nog niet. Het lijkt alsof hij zichzelf goed in de hand kan houden, maar hij heeft enorme behoefte aan regels en duidelijkheid.

**Tip**

Als je merkt dat je kind te veel geld uitgeeft via zijn pinpas, spreek dan af dat hij zijn pinpas thuislaat. Bereken met hem hoeveel geld hij dagelijks nodig heeft en laat hem dat contant meenemen.

**Breng het positief**
Met geld leren omgaan is niet gemakkelijk en ook niet altijd leuk. Maar het doel dat je wilt bereiken, is voor jou en je kind positief. Dat zal hij echter niet altijd zo ervaren. Als je een verandering bij je kind teweeg wilt brengen, is het belangrijk om het positief te formuleren en het doel voor ogen te houden. Van een positieve formulering straalt meer vertrouwen uit. Dat betekent dat je niet al te veel moet focussen op het probleem.

Zeg niet aan het eind van de maand als hij bij je aanklopt om extra geld: 'Zie je nu wel dat je helemaal niet met je geld kunt omgaan.' Maar formuleer het als volgt: 'Ik merk dat het niet makkelijk voor je is om het overzicht te houden. Zullen we samen even kijken waar je het geld aan uit hebt gegeven en hoe we ervoor kunnen zorgen dat het de volgende maand beter gaat?'

**Bemoei je er niet mee, maar informeer je kind**
Je kind wil van jou niet de oplossing horen. Hij wil het zelf bedenken en overdenken.

**Tip**

Als je kind niet uitkomt met het zakgeld, geef hem dan wat tips. Zeg: 'Ik heb gezien dat er op die en die site een handig kasboek staat dat je kunt downloaden. Misschien een idee als je het overzicht wilt houden.' Laat je kind zelf op zoek gaan en het gaan invullen.

**Wacht met het vellen van een oordeel**
Als je te snel het vertrouwen in je kind opzegt, verlies je als ouder ook het vertrouwen van je kind. Daarmee tast je de basis van jullie relatie aan.

Je kind koopt een dure winterjas en komt er thuis pas achter dat er nu geen geld meer over is voor winterschoenen. Zeg niet: 'Wat dom dat je die jas hebt gekocht. Je wist toch dat je onvoldoende kleedgeld overhad?' Maar zeg: 'Laten we samen eens kijken wat je nu allemaal nog nodig hebt en hoe je dat zou kunnen gaan oplossen.'

**Maak je kind tot partner**

Als je kind niet langer het onderwerp is van de financiële opvoeding, maar partner in dit proces is geworden, dan zullen dingen een stuk soepeler lopen. Als je kind geen eigen inbreng heeft, zal hij de neiging hebben het hele opvoedproces te ondermijnen.
Het is beter te bespreken waarom dingen belangrijk zijn, dan te vertellen hoe zaken precies moeten worden uitgevoerd. Dat betekent dat je moet uitleggen wat je van je kind verwacht. Vrijwel de meeste conflicten zijn het gevolg van onduidelijke en/of geschonden verwachtingen. Stel jezelf en je kind de vraag of jullie allebei willen dat het financiële probleem wordt opgelost. Als je als ouder de problemen in je eentje gaat oplossen, is het uiteindelijke resultaat een win-verlies-situatie. Op korte termijn lijkt het probleem opgelost en jij hebt als ouder gewonnen. Als je uitgaat van de gezamenlijke benadering en je samen met je kind wilt zoeken naar een oplossing dan zullen jullie hier allebei winst uithalen. Dit betekent wel dat je geduldig moet zijn en je kind de ruimte moet geven. Hierdoor leren jullie dat je elkaar nodig hebt en zal de onderlinge band verbeteren.

Je kind is verantwoordelijk om het avondeten te verzorgen en hiervoor ook de boodschappen te doen. Je geeft hem € 50 en hij gaat naar de winkel. Hij komt terug met een tas vol boodschappen en heeft de € 50 volledig besteed. Vol enthousiasme gaat hij aan de slag. Jij ziet hem bezig en vraagt waar het geld is dat hij terug heeft gekregen. Teruggekregen? We gaan lekker voor € 50 eten! Word nu niet boos, maar wees je bewust van de onduidelijke informatie waarmee je kind naar de winkel ging.

Je kind vertrouwen betekent ook dat je hem steeds meer als volwassene gaat behandelen. En als mensen als volwassenen worden behandeld, gedragen ze zich over het algemeen ook als volwassenen.

***Opdracht om over na te denken***
*Wat weerhoudt jou ervan grenzen te stellen? Ben je bang dat je niet populair bent bij je kind? En hoe erg is dat eigenlijk?*

Geef je kind vertrouwen. Dat is de essentie.

## Loslaten in actie

**Geen uitstel. Aan de slag!**
Actie ondernemen brengt een bepaalde spanning met zich mee. Kan ik het wel? Kan ik mijn kind wel financieel opvoeden? Wil mijn kind het wel? Hoe staat hij er tegenover?
Jouw afwachtende, onzekere houding werkt niet. Je kind snakt naar grenzen en regels. Dus is een actieve houding noodzakelijk. Je kind wil groeien!

De manier van aanpak die we hier laten zien – met zeven stappen – is grotendeels gebaseerd op de SMART-methode. Deze methode wordt veel toegepast in het bedrijfsleven en komt neer op het eenvoudig formuleren en opstellen van doelstellingen. Het voordeel van dingen die SMART zijn, is dat de kans dat je ze werkelijk realiseert, groter is.

Wij hebben nog twee stappen toegevoegd, namelijk de I van Initiatief (stap 1) en de B van Beloning (stap 7).
We noemen dit de I-SMART-B-methode:
Stap 1: I – Initiatief
Stap 2: S – Specifiek
Stap 3: M – Meetbaar
Stap 4: A – Acceptabel en aantrekkelijk
Stap 5: R – Realistisch
Stap 6: T – Tijdsgebonden
Stap 7: B – Beloning

## De I-SMART-B-methode

### *Stap 1: Initiatief*
Neem als ouder het initiatief. Wacht dus niet op je kind.

### *Stap 2: Specifiek*
Ga zelf na wat jullie gezamenlijke doel is en wat jullie belangrijk vinden. Maak dat zo concreet (specifiek) mogelijk. Dus niet: 'We moeten iets doen aan de financiële situatie van Bart', of: 'Marijke moet financieel onafhankelijk worden.' Definieer het goed. Als je het goed omschrijft, kun je het ook aan iemand anders uitleggen. Schrijf het op en bespreek het doel dat je hebt gesteld met je kind. Formuleer krachtig. Dus niet: 'We zullen proberen te kijken of het lukt om uit te komen met je zakgeld.' Maar gebruik actieve werkwoorden. Bijvoorbeeld: 'In de komende drie maanden ga je € 5 per maand sparen.'

Hak je doel in kleine stukjes, één doel per maand, voor een halfjaar. Het moet voor jou en je kind te overzien zijn. En nog belangrijker, het doel moet ook aanspreken. Het hogere doel is financiële onafhankelijkheid, maar dat zal niet het doel zijn dat je op korte termijn kunt realiseren. Dat is ook niet concreet genoeg.

***Stap 3: Meetbaar***

Je moet ook kunnen meten of het doel is gerealiseerd. Als het doel is dat je kind € 5 per maand gaat sparen, zit er na drie maanden dus € 15 in de spaarpot. Dat is duidelijk te meten. De algemene doelstelling dat je kind moet leren omgaan met geld, is niet meetbaar.

***Stap 4: Acceptabel en aantrekkelijk***

Bespreek het doel met je kind. Het moet voor je kind acceptabel zijn om het doel te realiseren. Bijvoorbeeld: 'Ons doel voor de komende drie maanden is dat we het kasboek op orde brengen en houden.' Zorg dat je niet in de situatie belandt waarin je zelf een plan bedenkt en je kind hiermee confronteert. Vraag hem zelf met een dergelijk plan te komen en breng jullie plannen op één lijn.

***Stap 5: Realistisch***

Dit betekent dat het doel, gezien de middelen en de tijd, haalbaar is. Als jullie willen dat het kasboek op orde komt en blijft, volgen hier duidelijke taken uit voort voor je kind. Hij zal elke dag moeten opschrijven wat hij heeft uitgegeven en wat er eventueel aan geld is ontvangen. Daarna zal hij het bedrag dat hij in zijn portemonnee heeft, moeten tellen. Dat bedrag moet kloppen met het saldo in het kasboek.
Als hij dat elke dag doet, zal deze taak niet veel tijd in beslag nemen. De afgesproken doelstelling is dus realistisch en haalbaar. Plan en reserveer tijd voor de taak. Stel een bepaalde tijd vast, doe dat heel precies (van 17.00 – 17.15 uur) en schrijf dit ook in je agenda. Dus: '17.00 uur – kasboek bijwerken (15 min).'

***Stap 6: Tijd***

Neem genoeg tijd om je doel te realiseren, maar ook weer niet te veel, want dat kan betekenen dat je de resultaten beïnvloedt. Als je te veel tijd inruimt, ga je al gauw andere dingen erbij doen en komt je doelstelling in gevaar.

### *Stap 7: Beloning*

Je kind heeft een 'beloning' nodig als de taak met succes is afgerond. Je zou bijvoorbeeld kunnen afspreken dat, als het bedrag in zijn portemonnee aansluit bij het saldo in zijn kasboek, hij dan bijvoorbeeld een kwartier op de computer mag. Je kunt ook andere immateriële vormen van beloning kiezen, zoals samen eten koken.

***Opdracht om over na te denken***

*Wat wil je zelf financieel bereiken? Formuleer de doelstelling positief. Maak een lijstje met redenen waarom je wilt volhouden (daar kun je nog eens naar kijken als het wat tegenzit). Wanneer ga je beginnen en hoe ziet je financiële plan eruit? Je ervaring uit deze opdracht kun je weer gebruiken bij de financiële begeleiding van je kind.*

## Samenvatting

Financiële onafhankelijkheid begint met het financieel loslaten van je kind, bijvoorbeeld door zak/kleedgeld te geven. Hierdoor leert hij om te gaan met geld. In het proces van loslaten heb je als ouder een belangrijke en sturende rol. Houd daarbij de volgende zes punten in de gaten:

1. Blijf zelf verstandig: je kind is nog niet volwassen;
2. Wees eerlijk en duidelijk: je kind heeft behoefte aan regels en grenzen;
3. Breng het positief: focus niet teveel op mogelijke problemen;
4. Bemoei je er niet mee, informeer je kind: laat je kind zelf met een oplossing komen;
5. Wacht met het vellen van een oordeel: stel vragen aan je kind;
6. Maak je kind tot partner: werk samen aan financiële onafhankelijkheid.

**Geen uitstel. Aan de slag!**

Actie ondernemen brengt een bepaalde spanning met zich mee. Kan ik het wel? Kan ik mijn kind wel financieel opvoeden? Wil mijn kind het wel? Hoe staat hij er tegenover? Jouw afwachtende, onzekere houding werkt niet. Je kind snakt naar grenzen en regels. Dus is een actieve houding noodzakelijk. Je kind wil groeien!

Gebruik de I-SMART-B-methode:

Stap 1: I – Initiatief
Stap 2: S – Specifiek
Stap 3: M – Meetbaar
Stap 4: A – Acceptabel en aantrekkelijk
Stap 5: R – Realistisch
Stap 6: T – Tijdsgebonden
Stap 7: B – Beloning

# O van Oefenen

## Inleiding

Oefenen is het trainen en/of het begeleiden van een kind naar de volwassenheid. Het is een langdurige taak en het vereist tijd, waakzaamheid en geduld.

Tijdens het oefenen laat je als ouder je beschermende houding steeds een beetje meer los. Want te veel bescherming kan je kind hinderen bij het bereiken van zijn financiële doel en zijn financiële onafhankelijkheid.

Je kind moet vertrouwen krijgen in zijn eigen oordeel. Dat krijgt hij door te oefenen, met vallen en opstaan. Je moet evenwicht zoeken tussen het helpen van je kind en ruimte bieden om te oefenen, fouten te maken en daarvan te leren.

Oefenen doe je structureel. Af en toe een beetje helpt niet. Gedurende een langere periode dien je je kind te begeleiden. Het is belangrijk dat jij als opvoeder ook financieel bijdehand bent. Dit betekent dat je zelf ook overzicht over je financiën moet hebben en eventueel een kasboek moet bijhouden.

Houd je, tijdens het oefenen, vast aan de vooraf gestelde regels en doelen. Uit de praktijk blijkt dat 40 % van de jongeren extra geld aan hun ouders vraagt als ze financiële problemen hebben. Geef je kind geen extra geld als het om meer vraagt, maar ga het gesprek aan en achterhaal de oorzaak van het tekort. Als je een ander resultaat wilt bewerkstelligen, zal er namelijk een verandering in het gedrag moeten plaatsvinden.
Die gedragsverandering bereik je alleen door goede argumenten te gebruiken en in gesprek te gaan. Dit gebeurt lang niet in alle gezinnen. Uit een onderzoek (van Heijst & Verhagen, 2010) blijkt dat van de ondervraagde VMBO-studenten 33 % niet met zijn ouders praat over geld, terwijl ze graag hulp zouden willen. Blijkbaar zijn er redenen die hen weerhouden met ouders in gesprek te gaan. Dus stel je open en praat met je kind.

'Oefening baart kunst.' Een oud gezegde, maar nog steeds waar. Veel kinderen oefenen van nature; ze doen dit in hun spel en imiteren graag hun ouders. Denk maar aan kleine kinderen die winkeltje of vader en moeder spelen. Ook daarin zijn ze al vaak met geld bezig. Ze zien hun ouders en andere volwassenen afrekenen en geld betalen en nemen dit op in hun spel. Financiële opvoeding en oefening kan dus voortborduren op het spel van kinderen zelf.

Bij het woord 'oefenen' horen vijf punten:

- Je leert alleen door te oefenen.
- Je hebt een voorbeeld nodig om na te doen.
- Elke oefening begint met instructie.
- Een oefening begint meestal klein.
- Tijdens het oefenen mag je fouten maken.

Deze vijf punten zullen op verschillende manieren terugkomen in dit hoofdstuk.

Het is belangrijk dat je je kind motiveert tijdens het oefenen. In dit hoofdstuk behandelen we tien manieren waarop je dit het beste kunt doen.

## Oefenen en motivatie

Bij het oefenen zijn sturing en motivatie belangrijk. Om je kind goed te sturen, moet hij gemotiveerd worden. Er zijn twee niveaus van motivatie, te weten externe en interne motivatie.

### Externe motivatie

Je kind moet in eerste instantie door jou als ouder gemotiveerd worden om goed met zijn geld om te gaan. Die motivatie komt niet uit het kind zelf, maar komt van jou. Daarom wordt het externe motivatie genoemd. Je kunt je kind motiveren door hem een compliment te geven als hij goed met zijn geld omgaat. Complimenten zijn een enorme motivator. Voor kleine kinderen kun je werken met stickers als ze goed met hun zakgeld omgaan. Oudere kinderen, en zeker pubers, zullen op een andere manier gemotiveerd moeten worden, namelijk door ze te laten merken dat ze vertrouwen krijgen.

### Interne motivatie

Doordat je kind ervaart dat het lukt om met geld om te gaan, groeit zijn vertrouwen in zichzelf. Hij zal nu ook zelf gemotiveerd zijn om overzicht over zijn geld te houden. Dit noem je interne motivatie. De motivatie die wordt gegeven door jou als ouder (externe motivatie) wordt minder belangrijk, maar het blijft van belang dat je hem vertrouwen geeft. Want dit vertrouwen steunt hem weer in zijn motivatie. Wees je ervan bewust dat jij als ouder een sturende en motiverende rol speelt. Die rol hoort bij je taak als ouder. Je kind verwacht het ook van jou!
Je kunt je kind op de volgende tien manieren motiveren:

- Geef het goede voorbeeld.
- Bescherm je kind tegen prikkels.
- Praat over geld.
- Geef je kind leergeld.
- Laat je kind werken.
- Laat je kind een begroting maken.
- Laat je kind sparen.
- Laat je kind een kasboek bijhouden.
- Bespreek het kasboek met je kind.
- Beloon je kind.

### *Geef het goede voorbeeld*

Het is goed je als ouder te realiseren dat je kind goede geldgewoontes moet aanleren en dat je daarin een voorbeeldfunctie vervult. Dat zou kunnen betekenen dat je je eigen geldgewoonten ook moet veranderen. Het zal je kind motiveren als hij ziet dat jij de financiën op orde hebt en bewust met geld omgaat.
Uit onderzoek blijkt dat kinderen hun ouders te vrijgevig vinden. Ouders geven dus niet altijd het goede voorbeeld als het gaat om geldzaken (Claassen, 2008). De meeste ouders geven hun kinderen zakgeld zonder dat er voldoende afspraken worden gemaakt. En als kinderen geld tekortkomen, zullen veel ouders extra geld geven. Verder vinden veel ouders het moeilijk om 'nee' te zeggen als hun kind ergens om vraagt.

Van nature zijn we geneigd onze behoeften onmiddellijk te bevredigen. Wat we zien, willen we hebben. Als je met je kind in de supermarkt loopt, zal hij van alles willen kopen. Gezonde geldgewoontes zitten dus niet 'ingebakken'. Die zul je moeten aanleren en meekrijgen tijdens je opvoeding. Kinderen die opgroeien in een gezin dat gelooft in budgetten en sparen, zien dat als normaal. Groei je op in een situatie waarin schulden heel normaal zijn, dan maak je dat tot een natuurlijke gewoonte. Geef je kind dus het goede voorbeeld.

***Opdracht om over na te denken***
*Geef je zelf het goede voorbeeld en ga je verantwoord met geld om? Zijn er zaken die moeten veranderen? Zo ja, wat zou je moeten veranderen? Welk voorbeeld wil je overdragen?*

Het goede voorbeeld geven aan kleine kinderen kan het volgende betekenen:

- Als je in de supermarkt bent, ga dan niet in op al zijn wensen. Neem bijvoorbeeld een boodschappenlijstje mee en laat hem zien dat je de spullen koopt die je nodig hebt en niet meer.

- Als kinderen wat ouder zijn (tussen de 8 en 12 jaar) kun je het goede voorbeeld geven door zelf niet toe te geven aan allerlei impulsaankopen bijvoorbeeld bij het tankstation.

Neem iets te eten en te drinken mee van huis. Bespreek hoeveel het kost als je eten meeneemt van huis en hoeveel het kost als je het koopt bij een tankstation.

Pubers letten ook meer op de wat grotere uitgaven die je doet, zoals uitgaven aan kleding of aan het interieur. Doe deze uitgaven weloverwogen. Vergelijk diverse mogelijkheden, bouw voldoende tijd in om goed na te denken over de uitgaven. En koop ook alleen als je voldoende geld hebt. Rood staan is in feite ook een lening!

*'Het voorbeeld is niet het beste middel om te overtuigen, het is het enige middel.' (Albert Schweitzer, Duitse arts en filosoof, 1875-1965)*

We gaan er als ouder vanuit dat we het goede voorbeeld geven, maar dat blijkt in de praktijk niet altijd te kloppen. We overschatten onszelf vaak. We denken dat we heel verstandig omgaan met geld. Maar in werkelijkheid blijken onze meest verstandige beslissingen, zeker achteraf, niet altijd de beste te zijn.

Voor je kind geldt dit in het bijzonder. Met name pubers kunnen de gevolgen van hun eigen gedrag nog niet zo goed inschatten. Dat heeft niets te maken met hun karakter, maar met de ontwikkeling van hun hersenen (Puberbrein Binnenstebuiten). Wees begripvol als je kind een financieel onhandige beslissing neemt.

***Opdracht om over na te denken***
*Welke financiële beslissing die je in het verleden hebt genomen, zou je nu anders nemen? Bespreek deze ook eens met je kind en leg uit waarom het achteraf geen goede beslissing bleek.*

Wees ervan overtuigd dat je echt invloed hebt als ouder. Niet alleen als voorbeeld, maar ook bij het aangeven van grenzen.

### *Bescherm je kind tegen prikkels*

Je kind krijgt ongelooflijk veel prikkels via de media, maar ook via vriendjes en vriendinnetjes. Op tv ziet hij de nieuwste snufjes, in bladen wordt hij gewezen op allerlei hebbedingen en de nieuwste mode en in de winkel ziet hij de nieuwste apparatuur. Hij wil het natuurlijk ook hebben en krijgt het gevoel dat hij achterloopt of iets mist als hij het niet koopt.

Je kunt als ouder je kind niet afschermen voor al deze prikkels, maar je kunt er wel voor zorgen dat je kind er niet voortdurend aan bloot wordt gesteld.
Houd jezelf niet voor dat je nauwelijks of geen invloed zou hebben. Die heb je namelijk wel, maar dit betekent wel dat je als ouder je rol moet innemen. Treed op en wees consequent in de grenzen die je hebt gesteld.

Dit betekent dat je er bij kleine kinderen op kunt letten dat ze alleen kijken naar hun favoriete programma en niet naar alle reclameblokken. Laat ze een dvd uitkiezen en die kijken als je aan het koken bent. Op die manier weet je wat ze kijken en worden ze niet ongewenst gestoord door reclame.

Kinderen tussen de 8 en 12 jaar kun je helpen door geen folders van speelgoedwinkels te bewaren (of ervoor te zorgen dat je ze niet in de brievenbus krijgt). Sta een televisie op hun slaapkamer niet toe.

Bij pubers is het goed om een vinger aan de pols te houden en te weten welke bladen zij lezen, tv-programma's zij kijken en welke websites zij bezoeken. Dat is lastig. Lees de bladen die je kind leest en kijk mee met de programma's die hij kijkt. Praat erover.
Het is belangrijk dat je kind merkt dat je aandacht voor hem hebt en dat je hem niet controleert. Je puber heeft niet alleen materiële behoeften, maar ook heel veel emotionele behoeften. Aandacht geven en er voor hem zijn, is belangrijker dan zijn kledingkast vullen met hippe kleren.

***Praat over geld***
Onze maatschappij hecht veel waarde aan spullen en geld. Bezittingen zijn vaak (onbewust) bepalend voor je zelfbeeld en voor je geluk. Het idee leeft, zeker bij de jeugd, dat je pas gelukkig bent als je dingen hebt. Reclame heeft een grote invloed op je kind en wakkert de hebzucht aan. Reclame sluit daarbij aan op ons brein, dat van nature gulzig is en de behoefte (die ontstaat bij het zien van de reclameboodschap) direct wil bevredigen. Maar in de praktijk blijkt dat bezit helemaal niet gelukkiger maakt. Een oud gezegde luidt 'het bezit van de zaak is het einde van het vermaak'. Om je kind hiervan bewust te maken, moet je met hem praten over geld en bezittingen. Hierdoor blijken kinderen minder gevoelig te worden voor de effecten van reclame. Aandacht geven aan je kind is het beste tegengif tegen het materialisme in onze cultuur (publicist en mythosoof Thooft).

Met kleine kinderen (4 t/m 8 jaar) kun je aan de slag gaan door het speelgoed op te ruimen. Op deze manier maak je je kind duidelijk dat er speelgoed is dat niet of nauwelijks is gebruikt en dat wel geld heeft gekost. Sorteer het speelgoed in drie categorieën:

- speelgoed waar je kind veel mee speelt;
- speelgoed dat je kind af en toe gebruikt;
- speelgoed waar je kind niet of nauwelijks mee speelt.

Stimuleer je kind met het aanwezige speelgoed te gaan spelen in plaats van nieuwe spullen te kopen.

Tips als je je realiseert dat je kind veel spullen bezit:

- Zeg vaker 'nee'.
- Pas de hoogte van het zakgeld aan.
- Geef geen geld tussendoor.
- Beloon niet met materiële zaken maar met aandacht (samen spelletje doen, samen koken).

Bij de oudere kinderen (tussen 8 en 12 jaar) zul je als ouder met je kind in gesprek moeten gaan over reclame en het doel ervan. Reclamemakers hebben niet het geluk van jou als consument voor ogen, maar willen dat jij geld gaat uitgeven. De vraag is of je het product echt nodig hebt of dat je niet zonder kunt leven. Of is het gewoon leuk om eens te proberen. Als je gewoon zonder kunt, heb je het in feite niet nodig.

Pubers ontlenen hun identiteit voor een groot gedeelte aan spullen. Dit heeft te maken met hun leeftijdsfase: je bent wat je draagt. Omdat ze in deze fase meer moeite hebben met overzicht aanbrengen/houden en plannen, kunnen ze soms heel makkelijk zijn met geld uitgeven, soms zelfs iets te makkelijk.

Het is belangrijk dat je kind leert om 'nee' te zeggen, om keuzes te maken en te wennen aan een budget. Dus geef hem zak- en kleedgeld om mee te oefenen. Hiermee is het niet geregeld. Je moet regelmatig met je puber in gesprek, om hem uit te laten leggen of en hoe hij met zijn budget uitkomt.

***Om over na te denken en door te spreken met je kind***
*Wat is geluk? Wanneer ben je gelukkig? Waarom wil je speciale kleding of speciale spullen? Stel je voor dat je geen merkkleding draagt, hoe zou je je dan voelen? Zouden anderen je wel of niet meer zien staan? Zijn andere pubers, die al die spullen niet hebben, ongelukkig?*

## Tips

- Kijk samen naar reclame en bespreek wat reclame met je doet en wat reclamemakers van je willen.
- Ga samen boodschappen doen. Bespreek hoeveel spullen kosten en vertel hoeveel uur je moet werken om de boodschappen te kunnen betalen.
- Vertel hoe je zelf met geld omgaat.
- Geef je kind een bepaald bedrag en geef ook de opdracht hiervoor iets te kopen. Laat je kind de keuze maken uit twee zaken die ongeveer even duur zijn. Laat hem uitleggen waarom hij een bepaalde keuze heeft gemaakt.

***Geef je kind leergeld***

Met leergeld (zak- en/of kleedgeld) bereid je je kind voor op financiële zelfstandigheid. Leergeld is niets anders dan een beperkt budget om een bepaalde periode te overbruggen. Hiermee leer je je kind:

- de waarde van geld;
- dat je niet alles direct hoeft te kopen;
- dat je voor grotere uitgaven moet sparen;
- dat je moet uitkomen met een vast bedrag;
- zelfstandig keuzes te maken.

Het leren omgaan met zak/kleedgeld is bedoeld om je kind te motiveren goed voor zijn geld te zorgen. Daarom mag de hoogte van dit leergeld nooit afhangen van het gedrag van je kind. Als je kind zich niet volgens de regels gedraagt, is korten op zakgeld niet het juiste middel. En andersom is meer zakgeld geen manier om gewenst gedrag te realiseren. De beste manier om een kind te belonen met een goed rapport is door gewoon zeggen dat je trots op hem bent.

Hoe zit het met de huishoudelijke taken, zoals opruimen, tafeldekken enzovoort? Een kind maakt onderdeel uit van het gezin. Binnen het gezin moeten bepaalde taken worden gedaan. Ouders voeren ook heel veel taken uit terwijl ze daar niet voor betaald worden. Voor je kind moet hetzelfde gelden. Taken die je eventueel zelf uitbesteedt, zoals schoonmaakwerk of onderhoud van de tuin, zou je kunnen uitbesteden aan een ouder kind. Daarvoor kun je dan wel afspraken maken over betaling. Zie in de tabel hieronder.

**Huishoudelijke taken**

| | **Gewone taken – Geen betaling** | **Extra taken – tegen betaling** |
|---|---|---|
| Vanaf 4/5 jaar | Tafel dekken<br>Vaatwasser in/uitruimen | Auto helpen wassen<br>Stoep vegen |
| Vanaf 8 jaar | Vuilnis buitenzetten<br>Eigen kamer stoffen<br>Huisdier verschonen | Stofzuigen<br>Helpen in de tuin |
| Vanaf 12 jaar | Eenvoudige maaltijd koken | Oppassen op broertjes/zusjes |

Leergeld is oefengeld. Bij het oefenen zal ook wel eens wat mis gaan, je kind verliest bijvoorbeeld zijn geld. Dit hoort echter bij het oefenen. Je kind zal hier zeker van leren.

Hoe kun je de 'schade' tijdens het oefenen beperken:

- Geef niet te veel leergeld.
- Beheer het geld voor je kind (tot 8-10 jaar). Als ze iets willen kopen, moeten ze dat aan jou vragen en uitleggen waarom ze dit willen kopen.
  Oudere kinderen moeten leren zelf hun geld te beheren. Houd hierbij een oogje in het zeil. Blijkt je kind het geld kwijt te raken of te verliezen, bespreek dit dan en laat je kind zelf met een oplossing komen.

# Tip

Speel het zakgeldspel met je kind! Met dit spel leren kinderen alles over betalen en sparen.

Afkomstig van Jumbo
www.jumbo.eu

***Laat je kind werken***

Zelf geld verdienen geeft een goed gevoel. Dat geldt voor jou als ouder, maar zeker ook voor je kind. Het geeft een gevoel van voldoening en onafhankelijkheid. Je kind ervaart dat hij zelf geld kan verdienen en niet helemaal financieel afhankelijk van jou is. Je kind voelt zich groot en dat geeft hem zelfvertrouwen.

Help en stimuleer je kind met het vinden van een baantje. Wat zou je kind kunnen doen?

- Oppassen
- Misschien heb je zelf een bedrijf en kan je kind brieven rondbrengen of andere klusjes doen
- Sneeuwruimen
- Auto's wassen
- Thuis klusjes doen
- Boodschappen doen
- Folders bezorgen (vanaf 13 jaar)
- Vakken vullen in de supermarkt (vanaf 15 jaar)

### *Laat je kind een begroting maken*

Het maken van een begroting is de basis van goed met je geld omgaan. Een begroting is niets anders dan een plan hoe je je geld wilt besteden. Voor kinderen onder de 12 jaar is dit nog niet aan de orde.

Laat je kind eerst een overzicht maken van alle uitgaven in de afgelopen periode (week, maand, jaar). Neem deze uitgaven met je kind door. In hoeverre zijn alle uitgaven echt nodig? Moet er maandelijks zo veel geld worden besteed aan bellen en sms'en? En, niet onbelangrijk, kan hij misschien een baantje zoeken om zijn extra uitgaven te betalen?
Laat je kind ook nadenken over de volgende vragen:

- Wat wil ik bereiken? Bijvoorbeeld: Ik wil een nieuwe Nintendo kopen en dat betekent dat ik elke maand een bepaald bedrag moet sparen.
- Voor wie moet ik dit jaar cadeautjes kopen?
- Hoe vaak wil ik een broodje en hoeveel kost dat per week?
- Welke andere uitgaven heb ik en zijn die ook echt nodig?

Aan de hand van de uitgaven van je kind, zijn er nog meer vragen te stellen.

Door al die uitgaven per periode te bekijken en op te tellen kan hij een week-, maand- en jaarbegroting maken.
Het maken van een begroting en het uitvoeren van dit plan leidt tot het behalen van je doel. Na een jaar heeft je kind bijvoorbeeld voldoende geld gespaard om de Nintendo te kopen. Dit succes zal hem stimuleren planmatig met zijn geld om te gaan en om moeite te doen goed voor zijn geld te zorgen.

***Opdracht voor jezelf***

*Maak een voorbeeld van het plan dat je kind zou kunnen hebben. Wat denk je dat hij in elk geval in dit plan moet hebben staan? Zorg dat het op zo'n manier is geformuleerd dat het haalbaar, begrijpelijk en ook motiverend is.*

| Kostensoort | Bedrag per eenheid | Eenheid | Per jaar |
|---|---|---|---|
| Cadeau gezin | € 10 | 4 gezinsleden | € 40 |
| Cadeau vrienden | € 7,50 | 6 vrienden | € 45 |
| Snoep | € 2 | 40 school-weken | € 80 |
| Telefoon | € 30 | 12 maanden | € 360 |
| Broodje | € 2,50 | 40 school-weken | € 100 |
| Uitgaan | € 10 | 20 keer per jaar | € 200 |
| | | | |
| **Totaal** | | | **€ 825** |

Dit betekent dat er een bedrag van € 69 per maand nodig is.
(€ 825 : 12 maanden = € 69 per maand)

Voor het kleedgeld geldt in feite hetzelfde. Begin ook daar met een begroting. Ga na wat je kind nodig heeft aan kleding en begroot de bedragen die erbij horen.

| Kostensoort | Bedrag per eenheid | Aantal | Per jaar |
|---|---|---|---|
| Ondergoed | € 10 | 5 stuks | € 50 |
| Sokken | € 2 | 5 paar | € 10 |
| Sportkleding | € 50 | 1 set | € 50 |
| Sportschoenen | € 70 | 1 paar | € 70 |
| Schoenen | € 100 | 3 paar | € 300 |
| Jassen | € 200 | 1 winterjas | € 200 |
| Lange broeken | | | |
| Korte broeken | | | |
| Topjes | | | |
| Bloesjes | | | |
| Rokjes-jurken | | | |
| T-shirts | | | |
| Overhemden | | | |
| Truien | | | |
| Vesten | | | |
| **Totaal** | | | |

Bij kleedgeld ligt het iets ingewikkelder omdat je kind moet leren om op lange termijn te denken. Kies je ervoor om minder kleedgeld te geven en als ouder de winterjas en de schoenen te betalen? Of verruim je het bedrag zodat hij het zelf kan regelen?

Is je kind nog erg in de groei, dan zal hij meer kleding nodig hebben. Dat zijn afwegingen die jij als ouder moet maken. Je kunt het ook bespreken met je kind. Het kan namelijk zijn dat jouw kind aangeeft zelf zijn kleding te willen kopen en het kleedgeld te willen beheren. Dan is het zeker van belang om een goede begroting te maken; wat heeft hij nodig, vallen sportkleren ook onder het kleedgeld, worden schoenen in de uitverkoop gekocht, enzovoort.

***Laat je kind sparen***

Het is goed dat je een kind van jongs af aan bijbrengt dat je niet alle dingen direct kunt kopen. Je kunt uitleggen dat jij als ouder altijd geld achter de hand moet houden voor situaties die je niet kunt voorzien, bijvoorbeeld: een wasmachine of auto die kapot gaat. Leer je kind vooruit te denken. Als je hem dit vroeg bijbrengt, zal hij minder impulsief zijn in zijn aankopen. Dit betekent dat wanneer hij geld heeft, hij het niet direct zal uitgeven. Hij heeft geleerd verder te kijken dan de dag van vandaag.

***Weetje - Spaarvarken***

*Een spaarpot is heel vaak een 'spaarvarken'. Het varken werd vet gemest in goede tijden en opgegeten in slechte tijden. Dit is ook het idee van sparen in een spaarpot: sparen in de goede tijd en het geld gebruiken in de slechte tijd.*

Een voorbeeld van iemand die erg impulsief in zijn aankopen was, is Maarten Steendam. Hij schreef hierover het boek 'Jong en Schuldig'. Op 24-jarige leeftijd had hij een schuld van € 18.000.
'Een doorlopend krediet, een creditcard, een klantenkaart en ook nog een gierend saldotekort, samen goed voor een schuld van € 18.000. Ik wist precies wanneer het fout was gegaan, maar hoe, daar had ik eigenlijk geen antwoord op. Gewoon, teveel geleend. Ik wilde genieten van het leven' (Steendam, 2006).

Je kunt je kind het beste leren sparen voor een bepaald doel. Voor jongere kinderen geldt dat het doel redelijk snel gerealiseerd moet worden. Het moet niet maanden duren voordat ze het geld bij elkaar hebben gespaard. Voor kinderen tot 8 jaar geldt dat ze binnen twee tot vier weken voldoende geld moeten hebben gespaard om hun aankoop te doen. Oudere kinderen kunnen het wat 'langer uithouden'.

Motiveer je kind om te sparen door het sparen tot een feest te maken:

- Laat je kind zelf een spaarpot knutselen voor het speciale doel.
- Maak er een speciaal moment van als je kind het geld in de spaarpot doet.
- Zorg ervoor dat het spaargeld zichtbaar is.
- Vier het als er voldoende geld is om de aankoop te doen.

***Knutseltip voor een speciale spaarpot***

*Wat heb je nodig?*

- *lege, schone jampot met deksel*
- *plaatje van speelgoed waarvoor je kind wil sparen*
- *lijm*
- *andere spullen om het jampotje te versieren*

Het motiveert je kind te sparen als hij zijn geld ziet groeien. Laat je kind zijn spaarsaldo bijhouden. Dat kan op verschillende manieren:

- Laat hem een overzicht of een grafiek maken in een spreadsheet.
- Laat hem op een vel een eenvoudige spaar-'thermometer' bijhouden.
- In de jaren zeventig en tachtig van de vorige eeuw hadden veel mensen spaarbuizen. Ook nu zijn zulke buizen nog te koop. Een leuke en zichtbare manier om geld te sparen.

Er zijn nog veel meer leuke manieren om te sparen. Wat te denken van een varken die knorrende geluidjes maakt als je geld in zijn bek stopt? Of een elektronische spaarpot, die kan tellen? Telkens als je er geld in doet, geeft hij het saldo aan.

Kinderen vanaf 12 jaar kun je motiveren hun persoonlijk spaarrecord te verbeteren. Maak er een wedstrijdje van.
Heb je de afgelopen week € 5 gespaard? Probeer de week erop € 6 te sparen. Is het gelukt? Dan heb je € 11 gespaard. En onthoud: alle beetjes helpen. Vele kleine bedragen maken een groot kapitaal.

*'Werken en sparen doet geld vergaren' (spreekwoord).*

### *Laat je kind een kasboek bijhouden*

Hoe kun je weten of je goed met je geld omgaat? Dat wordt pas zichtbaar als je je inkomsten en uitgaven bijhoudt. Het zwart-op-wit zetten van inkomsten en uitgaven zorgt voor duidelijkheid. Dit motiveert je om je doel te realiseren en ook vol te houden.

Daarom is het belangrijk om een kasboek bij te houden. Begin heel eenvoudig. Laat je kind elke dag bijhouden wat hij uitgeeft, maar ook wat hij krijgt. Dit lijkt heel simpel. Maar doe dit voor. Neem de tijd om je kind uit te leggen hoe een kasboek werkt. Vertel precies hoe hij dagelijks alle inkomsten en uitgaven opschrijft. Sta er niet van te kijken als het je kind niet direct lukt om het kasboek zelf bij te houden. Wees geduldig en blijf je kind helpen om het overzicht dagelijks in te vullen. Je kunt je kind heel goed motiveren door zelf ook je inkomsten en uitgaven bij te houden. Plan aan het eind van de middag tijd in om samen het kasboek bij te werken. Op die manier geef je het goede voorbeeld en kun je hem ook beter ondersteunen.

Het bijhouden van het kasboek zorgt ervoor dat je kind vertrouwen krijgt in zichzelf. Het geeft je kind een gevoel van plezier als blijkt dat hij inkomsten en uitgaven op een rijtje heeft.

Geef niet toe aan negatieve gedachten:

- Het lukt mijn kind niet het kasboek bij te houden.
- Het duurt mij te lang om mijn kind steeds uit te leggen hoe hij het kasboek moet invullen.
- Hij maakt een puinhoop van het kasboek.

***Bespreek het kasboek met je kind***

Een kasboek bijhouden zonder dit regelmatig door te nemen en te leren van de aankopen die je hebt gedaan, heeft weinig zin. Neem daarom periodiek het kasboek door met je kind. Bespreek de volgende vijf punten:

- Staan alle inkomsten en uitgaven genoteerd?
- Hoe komt het dat het niet lukt om alles te noteren?
- Klopt het overzicht? Dat betekent, komt het eindbedrag (het saldo) van het kasboek overeen met het bedrag dat in zijn portemonnee zit?
- Bespreek gemaakte fouten en laat weten dat fouten gemaakt mogen worden.

- Welke oplossingen heeft je kind om ervoor te zorgen dat hij in de komende periode wel zijn uitgaven en inkomsten zal gaan bijhouden?

In een interview met de Volkskrant vertelde de Nederlandse neuropsycholoog Jelle Jolles: 'De hersenen van een 15-jarige zijn nog niet volgroeid. Kinderen zijn hun impulsiviteit niet de baas. Ze hebben begeleiding nodig om de juiste keuzes te maken: van ouders en leraren.'

**Neem in het begin regelmatig de tijd om met je kind te praten over zijn kasboek**

Het is belangrijk dat hij nu ervaring opdoet met het goed omgaan met geld. Jong geleerd is tenslotte oud gedaan. Om hem te behoeden voor toekomstige financiële problemen kan hij beter nu fouten maken met relatief kleine bedragen dan in de toekomst met grote bedragen (en bijbehorende verplichtingen). Blijf met je kind in gesprek over financiële zaken. Dit betekent niet dat je het altijd met je kind eens zult zijn over de beslissingen die hij heeft genomen. Door je open op te stellen, zal je kind (ook later) sneller lastige zaken met je bespreken.

Tips voor je kind, zodat hij bewust met geld leert om te gaan:

- Neem dagelijks weinig of geen geld mee naar school. Dan kun je het ook niet uitgeven.
- Laat je pinpas thuis.
- Koop elke week iets lekkers of leuks in plaats van elke dag. Leef daar naartoe en geniet ook van dat moment.

***Beloon je kind***

Je kind belonen voor de manier waarop hij met zijn geld omgaat, is een stimulans voor je kind. Geef je kind een compliment, want goed omgaan met geld is niet eenvoudig.
Vind je het lastig om je kind te complimenteren, dan is het goed om je eens in je kind te verplaatsen. Stel je voor hoe lastig het voor hem is om 'nee' te zeggen tegen allerlei verleidingen in winkels en

op straat of om het kasboek bij te houden. Misschien ben je het niet eens met de wijze waarop hij zijn geld uitgeeft, maar kun je hem wel belonen voor het feit dat hij niet meer geld uitgeeft dan hij heeft. Beloon je kind niet met een cadeau of extra geld. Als je wilt belonen, beloon hem dan met aandacht, woorden of spreek van tevoren een beloning af (bijvoorbeeld met de keuze van het eten, langer opblijven).

## Samenvatting

Om je kind te leren goed met geld om te gaan, moet je hem laten oefenen met geld. Dit houdt in dat je hem traint en begeleidt naar financiële volwassenheid. Het is een langdurige taak en vereist tijd, waakzaamheid en geduld. Wees je ervan bewust dat jij als ouder een sturende en motiverende rol hebt. Je kunt op de volgende tien manieren je kind motiveren:

- Geef het goede voorbeeld.
- Bescherm je kind tegen prikkels.
- Praat over geld.
- Geef je kind leergeld.
- Laat je kind werken.
- Laat je kind een begroting maken.
- Laat je kind sparen.
- Laat je kind een kasboek bijhouden.
- Bespreek het kasboek met je kind.
- Beloon je kind.

# 2 Financieel bij de hand voor kinderen

## Inleiding

Van geld weet je vast wel iets. Winkeltje spelen, dingen kopen en verkopen: kleine kinderen doen dit graag. Jij hebt, toen je nog klein was, vast wel eens een oude portemonnee van je vader of moeder gebruikt als je ging spelen, gevuld met namaakgeld.
Wanneer je wat ouder bent (6 t/m 12 jaar), krijg je zakgeld en ga je misschien een keer een kleine boodschap doen. Ben je tussen de 13 en 18 jaar, dan mag je al gaan werken. Je krijgt waarschijnlijk kleedgeld.

**Goed voor je geld zorgen 6 t/m 12 jaar**
Het is belangrijk om geld te hebben. Het is nog belangrijker om er goed mee om te gaan. Om je financiën goed in de gaten te houden. Dat betekent dat je weet of je voldoende geld hebt om iets te kopen. Je leert goed voor je geld te zorgen en 'financieel bijdehand' te worden.

*Noortje (10 jaar): 'Ik heb van dit boek geleerd hoe ik met geld moet omgaan en hoe ik een kasboek moet bijhouden. En als ik het even niet meer weet, kan ik het in dit boek opzoeken.'*

**Financieel bijdehand 13 t/m 18 jaar**
Als je te maken krijgt met inkomsten, zak- en kleedgeld, moet je extra financiële regels kennen. Deze regels noemen we het ABC. Je wordt en blijft financieel gezond als je het ABC volgt. Dit betekent dat je je inkomsten en uitgaven bijhoudt, administreert (A van administreren), maar ook bewaart (B van Bewaren) en regelmatig de administratie controleert (C van

Controleren) zodat je een begroting kunt maken. Een begroting is een inschatting van je inkomsten en uitgaven.
Het is niet altijd gemakkelijk om je aan deze regels te houden. Het kan zijn dat je heel erg graag iets wilt kopen, zoals een computerspel of een mobiel. Maar als je te weinig geld hebt, is het verstandig om dat niet te doen. Als je je houdt aan de regels, leidt dit tot een gezonde financiële situatie.

*Tim (13 jaar): 'Ik houd een kasboek bij. Door dit boek heb ik geleerd wat ik kan doen om meer inkomsten te krijgen.'*

# Kinderen 6 t/m 12 jaar

## Goed voor je geld zorgen

Als je aan het sparen bent voor iets groots, dan is het leuk om elke week je geld te tellen. Zo zie je hoeveel geld je al hebt en hoelang je nog moet sparen om je cadeau te kopen. Heb je deze week veel geld uitgegeven, dan blijft er weinig over in je portemonnee of spaarpot.

In dit hoofdstuk gaan we je leren hoe je goed voor je geld kunt zorgen en 'financieel bijdehand' kunt worden.

Financieel bijdehand zijn, betekent dat je weet hoe je met je geld omgaat. Je kunt geld krijgen (zakgeld), geld verdienen (zie hoofdstuk 'Inkomsten'), geld uitgeven (dingen kopen) of sparen. Als je geld hebt en gebruikt, kun je daarvan een overzicht bijhouden. Dat overzicht heet een administratie. Je houdt een administratie bij, omdat je wilt weten hoeveel geld je hebt en hoeveel geld je kunt uitgeven.

## Inkomsten

Krijg je zakgeld? Krijg je misschien wel eens geld van opa of oma, geld voor je verjaardag? Dan zijn dat jouw inkomsten. Daar hoef je niet voor te werken.

Je kunt ook geld verdienen door allerlei klusjes te doen, bijvoorbeeld:

- Spullen kopen en die weer verkopen.
- Je vader of moeder helpen met een klusje.
- Zelfgemaakte armbandjes, kettingen verkopen.
- Appeltaarten bakken en verkopen.
- Kaarten maken en verkopen.
- Je hobby's gebruiken (ga muziek maken op de vrijmarkt op Koninginnedag).
- Grasmaaien.
- Voor je oma boodschappen doen.
- Honden uitlaten.
- Auto's wassen.

Van je spaargeld koop je bijvoorbeeld limonade, siroop en plastic bekertjes. Tijdens Koninginnedag probeer je de limonade tegen een hogere prijs te verkopen op de vrijmarkt. Dat handeltje kan je geld opleveren, als je voldoende verkoopt.

Kijk voor tips ook eens op http://mijnbedrijfje.startje.com/

***Weetje - Ruilen?***

*In onze tijd heb je geld nodig om eten en kleding te kopen. Heel vroeger was dat anders. Toen bestond er nog geen geld. Er werd geruild. Je ruilde dat waarvan je veel had, bijvoorbeeld kippen, voor iets waar je te weinig van had, bijvoorbeeld groente.*
*Ruilen gebeurt nog steeds. Denk maar aan postzegels, voetbalplaatjes of andere dingen die je bijvoorbeeld in de supermarkt bij een bepaald product krijgt.*
*Maar ruilen zoals mensen dat vroeger deden, dat gebeurt niet meer. Het is ook niet zo handig en ook niet praktisch. Stel je voor dat je een televisie nodig hebt en je bent varkenshandelaar. Dan moet je met je varken naar de winkel. Die winkelier ziet je al aankomen!*

## Uitgaven

Je kunt pas geld uitgeven als je inkomsten hebt, zakgeld bijvoorbeeld. Maar wat doe je ermee?

Wat je met je zakgeld doet, moet je eerst bespreken met je ouders. Zij willen misschien dat je van het zakgeld een deel spaart. Of misschien moet je een deel apart houden om cadeautjes van te kopen voor broertjes of zusjes. Het is handig om dit goed te weten. Anders koop je dingen waar je ouders het niet mee eens zijn. Net zoals Niels in het volgende voorbeeld:
Niels (7 jaar) krijgt € 2 per week. Op vrijdagmiddag gaat hij snel naar de winkel. Hij zoekt zijn lievelingssnoep uit. Als hij thuiskomt, eet hij het direct op. Zijn moeder ziet alle snoeppapiertjes. Zij roept hem bij zich, want hij heeft niet met haar overlegd wat hij van zijn zakgeld zou kopen.

Het is handig om met je ouders af te spreken wat je met je zakgeld doet. Dat kun je opschrijven of je kunt een heus zakgeldcontract maken.

Voorbeeld zakgeldcontract:

# Zakgeldcontract

Ingangsdatum zakgeldcontract:

........................................

Zakgeld bestemd voor: ............................

Ik krijg elke week op ............dag mijn zakgeld.

Ik krijg elke week € ........... zakgeld.

We spreken het volgende af:

€ ... moet ik sparen.

€ ... moet ik besteden aan cadeaus.

€ ... mag ik vrij besteden/mag ik zelf over beslissen.

Verder spreken we nog af:

- Dat ik geen snoep mag kopen van het zakgeld.
- Dat ik een kasboek bijhoud.
- Dat ik dit kasboek steeds aan het eind van de maand bespreek met mijn vader en moeder.

Datum: ...........................................

Handtekening: .................................... (ouder)

Handtekening: .................................... (kind)

*Stella (8 jaar) heeft het volgende met haar ouders afgesproken:*
*Zij krijgt € 6 per maand. Met dat geld doet zij het volgende:*

- *sparen: € 2*
- *speelgoed: € 2*
- *zelf beslissen: € 2*

Stella krijgt haar zakgeld in zes munten van elk € 1. Zij heeft drie potjes in haar kast. Het zakgeld verdeelt ze over deze potjes. Het ene is het spaarpotje, verder heeft ze nog een speelgoedpotje en het laatste potje is haar lievelingspotje. Want met het geld wat daar in zit, mag ze doen wat ze wil!

***Weetje - Hoelang is er al geld?***
*Geld is al heel oud. We lezen voor het eerst over het gebruik van geld in Irak, zo'n 4500 jaar geleden.*
*Toen werden stukjes kostbaar metaal, zoals zilver en goud, gebruikt als geld.*

## Kasboek

Je wilt natuurlijk weten hoeveel geld je hebt, dat is niet moeilijk. Daarvoor moet je alle inkomsten en uitgaven opschrijven. Gebruik hiervoor een schrift en maak een tabel zoals op de volgende bladzijde.

| Omschrijving<br>A | Datum<br>B | Inkomsten<br>C | Uitgaven<br>D | Saldo<br>E |
|---|---|---|---|---|
| | | | | |

In kolom A (omschrijving) schrijf je hoe je geld hebt gekregen en waaraan je geld hebt uitgegeven. Je hebt bijvoorbeeld zakgeld gekregen of geld uitgegeven aan speelgoed.
In kolom B noteer je op welke datum je zakgeld hebt gekregen of speelgoed hebt gekocht.
In kolom C staan alleen je inkomsten, dat kan je zakgeld zijn, maar ook geld dat je hebt verdiend.
In kolom D noteer je alle uitgaven.
Kolom E is belangrijk. Daar schrijf je op wat er nog in je potje(s) zit, dus als je de uitgaven hebt afgetrokken van je inkomsten. Dat noem je het saldo, dat is alles wat er overblijft.

1. Fenna (11) krijgt op 1 oktober haar zakgeld, € 20. Ze had helemaal geen geld meer over van de vorige maand. Haar saldo is nu € 20.

| Omschrijving<br>A | Datum<br>B | Inkomsten<br>C | Uitgaven<br>D | Saldo<br>E |
|---|---|---|---|---|
| 1. Zakgeld | 1/10 | + € 20 | | € 20 |

2. Twee dagen later koopt ze een cadeautje voor haar moeder. Het cadeautje kost € 5. Dat bedrag noteert ze in kolom D onder uitgaven. Na deze aankoop heeft ze nog € 15 over. Dat is haar nieuwe saldo.

| Omschrijving A | Datum B | Inkomsten C | Uitgaven D | Saldo E |
|---|---|---|---|---|
| 1. Zakgeld | 1/10 | + € 20 | | € 20 |
| 2. Cadeau | 3/10 | | - € 5 | € 15 |

3. Fenna vindt het blad Donald Duck hartstikke leuk. Ze koopt op donderdag (6 oktober) haar favoriete tijdschrift. Het blad kost € 5. Nu heeft ze nog € 10 over.

| Omschrijving A | Datum B | Inkomsten C | Uitgaven D | Saldo E |
|---|---|---|---|---|
| 1. Zakgeld | 1/10 | + € 20 | | € 20 |
| 2. Cadeau | 3/10 | | - € 5 | € 15 |
| 3. Tijdschrift | 6/10 | | - € 5 | € 10 |

4. Ze gaat op zaterdag mee naar de voetbalwedstrijd van haar broer. In de kantine koopt ze een zakje snoep. Dat kost haar € 2. Ze heeft nu nog € 8 over.

| Omschrijving<br>A | Datum<br>B | Inkomsten<br>C | Uitgaven<br>D | Saldo<br>E |
|---|---|---|---|---|
| 1. Zakgeld | 1/10 | + € 20 | | € 20 |
| 2. Cadeau | 3/10 | | - € 5 | € 15 |
| 3. Tijdschrift | 6/10 | | - € 5 | € 10 |
| 4. Snoep | 8/10 | | - € 2 | € 8 |

5. Op 10 oktober wil ze haar telefoon opladen voor € 10. Ze kijkt in haar kasboek en ontdekt tot haar schrik dat ze nog maar € 8 heeft. Dat is niet genoeg om de telefoon op te laden. Nu moet ze wachten tot 1 november. Dan krijgt ze weer nieuw zakgeld. Maar misschien kan ze ook een klusje doen, waar ze € 2 mee verdient. Dan heeft ze genoeg om een telefoonkaart te kopen.

| Omschrijving<br>A | Datum<br>B | Inkomsten<br>C | Uitgaven<br>D | Saldo<br>E |
|---|---|---|---|---|
| 1. Zakgeld | 1/10 | + € 20 | | € 20 |
| 2. Cadeau | 3/10 | | - € 5 | € 15 |
| 3. Tijdschrift | 6/10 | | - € 5 | € 10 |
| 4. Snoep | 8/10 | | - € 2 | € 8 |
| 5. Klusje doen | 10/10 | + € 2 | | € 10 |
| 6. Opladen telefoon | 10/10 | | - € 10 | € 0 |

*Kevin (10) houdt ook een kasboek bij, in een schrift. Elke keer als hij zakgeld krijgt, schrijft hij het op. Als hij naar de winkel is geweest om iets te kopen, doet hij hetzelfde. Zo weet hij altijd hoeveel geld hij heeft. Dat geeft hem een fijn gevoel.*

***Weetje - Kasboek***

*Zo'n 50 jaar geleden hadden alle moeders zo'n kasboek. Dat heette een huishoudboekje. Daarin schreven ze alle uitgaven op, zoals de kosten voor de bakker, de slager en de groenteman. Op die manier hielden ze bij hoeveel het huishouden kostte. Hieronder zie je een plaatje van een huishoudboekje. In sommige plaatsen in Nederland kreeg je dit huishoudboekje als je ging trouwen.*

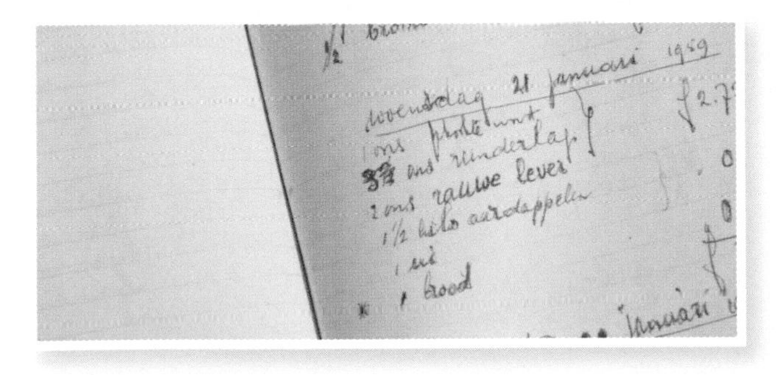

Tegenwoordig houden veel mensen hun kasboek bij op de computer, bijvoorbeeld in Excel.

***Weetje - Wat is geld precies?***
*Geld is een middel om spullen of tijd te ruilen voor iets anders. Heel veel verschillende spullen zijn als ruilmiddel gebruikt, zoals bijvoorbeeld schelpen, kralen, zout, thee en dieren. Tegenwoordig gebruiken we hier geld voor.*

## Sparen

Soms wil je iets kopen dat veel geld kost. Je moet dan eerst sparen voordat je het kunt kopen.

Tim krijgt bijvoorbeeld € 2 per week en wil graag een spel kopen van € 25. Hij spaart daarvoor. Elke week stopte hij € 1 in zijn spaarpot. Dit doet hij al 10 weken. Nu heeft hij al € 10 gespaard. In mei heeft hij een hele maand niets gekocht en toen kon hij opeens € 8 in zijn spaarpot stoppen. Zo had hij dus al € 18 in zijn spaarpot. Zijn oma gaf hem € 10 voor zijn rapport! Toen had hij voldoende geld om het spel te kopen. Tim was apetrots dat hij zelf voor zijn spel had gespaard en dat hij het uiteindelijk kon kopen. Het is pas leuk om te sparen als je weet waarvoor je spaart.

| | Bedrag in spaarpot |
|---|---|
| Tot en met april | + € 10 |
| Mei | + € 8 |
| Geld oma | + € 10 |
| **Totaal** | **+ € 28** |

*Samira maakt elke keer een spaarplaatje. Ze pakt hiervoor een mooi papiertje. Daar plakt ze een foto of plaatje op van het spel, sieraad of dat waarvoor ze wil sparen. Deze keer spaart ze voor een nieuw boek.*
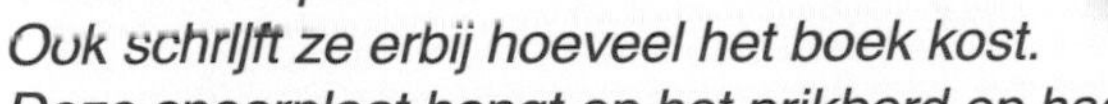
*Ook schrijft ze erbij hoeveel het boek kost. Deze spaarplaat hangt op het prikbord op haar kamer. En elke avond kijkt ze even naar het boek waarvoor ze spaart.*

Sparen moet je een beetje leuk en spannend maken.

*Thomas maakt het heel spannend. Hij heeft een stenen spaarvarken. Je kunt er geld in gooien. Maar je kunt het spaarvarken alleen maar openen door het kapot te slaan. Al het geld dat hij krijgt (voor z'n verjaardag bijvoorbeeld) gaat direct in het spaarvarken. Hij spaart en spaart en weet niet hoeveel er in het varken zit. Heel spannend! Hij fantaseert wat hij allemaal kan kopen voor het geld. Spelletjes, speelgoed, een telefoon. Na een paar maanden mag hij het spaarvarken kapotslaan. Wat een geweldig moment. Tussen de scherven ligt al zijn geld. Het is nog meer dan hij dacht.*

## Slim met geld omgaan

Als je je inkomsten en uitgaven goed bijhoudt, niet meer geld uitgeeft dan er binnenkomt en ook nog eens spaart, dan ben je financieel bijdehand! Je weet hoe je met geld moet omgaan.

Er zijn ook een aantal manieren om slim met je geld om te gaan. Leuke dingen hoeven niet veel geld te kosten. Als je goed nadenkt, hoef je niet altijd geld uit te geven.

We hebben een aantal tips op een rijtje gezet, om slim met je geld om te gaan.

## 1. Zelf iets maken

*Eliza (9) vindt het niet gemakkelijk. Alle meisjes in haar klas hebben dezelfde soort tas, behalve zij. Vaak zeurt ze bij haar moeder om zo'n tas. Maar haar moeder vindt dat ze die maar van haar zakgeld moet kopen. En dat kan Eliza niet, want de tas is te duur. Ze denkt vaak na hoe ze ook een mooie tas kan krijgen. Dan heeft ze een idee. Ze versiert haar eigen tas met speldjes en lintjes en een leuke sleutelhanger. Dat kost niet veel geld en het geeft Eliza een goed gevoel. Ze heeft voor weinig geld een leuke tas. Haar klasgenoten vinden de tas geweldig.*

## 2. Stoppen met reclame kijken

*Floris (8) kijkt veel tv. Daar ziet hij telkens dezelfde reclame voor die mooie speelgoedracewagen. Te duur, vindt z'n moeder. Niet nodig, zegt z'n vader. Als je het echt wilt hebben, betaal je het zelf maar. Floris weet dat hij niet genoeg geld in zijn spaarpot heeft. Hij merkt dat hij het steeds vervelender vindt om de tv-reclame te zien. Hij besluit om de reclames maar helemaal niet meer te kijken. En na verloop van tijd vergeet hij de racewagen zelfs.*

Fabrikanten willen graag dat je hun spullen koopt. Daarom maken ze veel reclame. Ze proberen je over te halen. Laat je niet verleiden. Zet de televisie uit of zet liever een dvd op en ga direct naar het hoofdmenu. Zo mis je alle reclames!

## 3. Koop tweedehandsspullen

*Veel spullen kun je voor minder geld kopen dan in de winkel. Er zijn een heleboel websites voor. Kijk samen met je ouders eens op www.tweedehands.net of www.marktplaats.nl.*

## 4. Kijk eens in je eigen kast

*De meeste dingen die bij jou in de kast staan, gebruik je weinig. Spelletjes waar je misschien maar één keer mee hebt gespeeld, stiften die nog nooit zijn gebruikt. Ga op een regenachtige middag je kast opruimen. Je komt vast allemaal leuk speelgoed tegen.*

## 5. Heb je het echt nodig?

*Wees eerlijk: heb je de tas, of het spelletje echt nodig? Zet het op een verlanglijstje. Op het moment dat je jarig bent, hoef je over je cadeaus niet meer na te denken.*

De moeder van Francien heeft de volgende regel. Francien mag zelf kiezen wat ze wil kopen van haar zakgeld. Ze moet er echter eerst een week over nadenken. Ze wil nu graag iets van Playmobil kopen. Ze denkt er een week over na en wil het nog steeds heel graag. Ze vindt het de moeite waard om haar zakgeld hieraan te besteden. Dus nadat ze het met haar moeder heeft besproken, gaat ze naar de speelgoedwinkel.

## Financieel bijdehand, samenvatting

Je inkomsten en je uitgaven houd je bij in een kasboek.

Het is heel slim om niet al je geld uit te geven, maar een deel ervan te sparen. Je kunt sparen voor iets dat veel geld kost. Maak het sparen leuk en spannend.

Er zijn een aantal manieren om slim met je geld om te gaan. Leuke dingen hoeven niet veel geld te kosten. Als je goed nadenkt, hoef je niet altijd geld uit te geven.

**Vijf tips:**

- Je kunt zelf leuke dingen maken.
- Als je geen reclames kijkt, zul je niet al die nieuwe dingen zien.
- Je kunt tweedehands spullen kopen.
- Als je in de kast kijkt, staan daar vast spelletjes waar je nog niet zo vaak mee hebt gespeeld.
- Vraag je af of je echt niet zonder die nieuwe spullen kunt.

Financieel bijdehand zijn betekent dat je weet hoe je met je geld omgaat. Je kunt geld krijgen (zakgeld), geld verdienen (klusjes doen), geld uitgeven (dingen kopen) of geld sparen.

# Kinderen van 13 t/m 18 jaar

## Inleiding

**'Financieel bijdehand'**
'Financieel bijdehand' zijn betekent dat je weet hoe je met je geld moet omgaan. Dat leer je vooral door je te houden aan bepaalde financiële regels. Wij noemen deze regels het ABC. Je wordt en blijft financieel gezond als je het ABC volgt. Dit betekent dat je inkomsten en uitgaven bijhoudt, administreert (A van administreren), maar ook bewaart (B van Bewaren) en regelmatig de administratie controleert (C van Controleren), zodat je weet hoe het ervoor staat met je geldzaken en je een goede begroting kunt maken. Een begroting is een inschatting van je inkomsten en uitgaven.

Het is niet altijd gemakkelijk om je aan deze regels te houden. Het kan zijn dat je heel erg graag iets wilt kopen, zoals een computerspel of een mobiel. Maar als je te weinig geld hebt, is het verstandig om dat niet te doen. Als je je houdt aan de ABC-regels, heb je je geldzaken goed op orde.

**Wie helpt je?**
Zoals je ouders je vroeger leerden lopen of fietsen, zullen ze je nu leren met geld om te gaan. Ze kunnen je helpen bij vragen of je steunen bij lastige financiële situaties. Ze nemen je bij de hand, zodat jij financieel bijdehand wordt. Ook anderen kunnen je helpen, zoals leerkrachten en vrienden. Ze kunnen een positieve invloed op jou hebben door hun financiële kennis. De invloed van mensen uit je omgeving en media kan ook negatief zijn. Als je vrienden hebt die slecht met geld omgaan (te veel geld uitgeven, schulden maken), dan moet je stevig in je schoenen staan om andere keuzes te maken.

### Inkomsten

Inkomsten bestaan uit het geld dat je krijgt van je ouders (zakgeld/kleedgeld) of dat je krijgt door te werken (loon). Het bedrag dat je maandelijks krijgt, bepaalt of en hoeveel geld je kunt uitgeven. We leggen je uit hoe je bewust met je geld kunt omgaan. Ook geven we je tips hoe je meer inkomsten kunt krijgen door een baantje of vakantiewerk.

### Uitgaven

Uitgaven zijn de kosten die je maakt door het kopen van spullen, het wonen in een huis, eten/drinken enzovoort.
Een overzicht van je uitgaven is noodzakelijk om financieel bijdehand te zijn.

### Administratie/kasboek

Een overzicht van je inkomsten en je uitgaven is een administratie. Je houdt een administratie bij omdat je wilt weten hoeveel geld je hebt en hoeveel geld je kunt uitgeven.
Als je weet wat je uitgeeft, zul je soms schrikken. Maar dat kan wel betekenen dat je besluit om dingen te veranderen, bijvoorbeeld minder uitgeven, omdat je wilt sparen voor iets groots.

***Weetje - Administratie***
*Vanaf het moment dat mensen zijn gaan handelen, hebben ze ook administraties bijgehouden. Op die manier konden ze overzicht houden over hun inkomsten en uitgaven. De allereerste administraties werden (ongeveer 3000 jaar v.Chr.) geschreven op kleitabletten en papyrusrollen.*

## Schulden

Houd je je niet aan de regels van het ABC, dan kun je in de problemen raken. Op dit moment is dit bij veel kinderen het geval. Op de middelbare school is het percentage kinderen dat niet goed met geld omgaat ongeveer 20 %. In een klas met dertig kinderen betekent dat, dat er zes kinderen een schuld hebben. In de hogere klassen van de middelbare school kan het percentage stijgen naar 60 %!

## Kies!

Het begint allemaal met jouw keuze. Maak jij de keuze om financieel bijdehand te zijn en je zaakjes op orde te hebben of wil je een financieel onzekere toekomst tegemoet gaan met schulden?

Het is belangrijk voor je 18e precies te leren hoe je met geld moet omgaan. Vanaf je 18e gaan namelijk veel zaken veranderen. Je mag bijvoorbeeld kopen via internet en zelf een telefoonabonnement afsluiten. Als je dan niet weet hoe je met geld moet omgaan, is de kans groter dat je te maken krijgt met schulden.

**Doel**
Hoe bepaal je jouw financiële doel? Een manier om dat te doen, is je voor te stellen in welke situatie je je wilt bevinden als je volwassen bent. Wil je financieel afhankelijk blijven van je ouders, van een bank, of van anderen? Of wil je financieel onafhankelijk zijn?

## Wie helpt je?

Wanneer je klein bent, zijn je ouders belangrijk voor je. Zij zorgen voor geld, kleding en helpen je met allerlei zaken. Ze geven je zakgeld en leren je sparen. Zij helpen je om goed voor je geld te zorgen (financieel bijdehand te worden).

Als je op de middelbare school zit, wordt de mening van je vrienden belangrijker. Je wilt er graag bijhoren, met muziek, met kleding en ook de manier van geld uitgeven.

*Jeroen (15 jaar) wil graag dure voetbalschoenen (€ 150) omdat zijn teamgenoten volgens hem allemaal dit type schoenen kopen. Zijn moeder wil niet meer dan € 80 daaraan uitgeven. Jeroen moet het verschil (€ 150 - € 80 = € 70) zelf bijbetalen.*

In de middelbareschooltijd word je steeds vaker geconfronteerd met de volgende vragen: waar geef ik geld aan uit, hoe ga ik om met geld en wat is belangrijk voor mij?

Jeroen (uit het bovenstaande voorbeeld) heeft er extra geld voor over om duurdere voetbalschoenen te kopen en er zo bij te horen.

Als je brood meeneemt van huis omdat je geen zin hebt om geld uit te geven aan een lunch uit de schoolkantine, kan het lastig zijn als je vrienden wel broodjes kopen.
Vind jij merkkleding niet zo belangrijk, maar een aantal van jouw klasgenoten wel, dan kan dat voor jou soms wat ongemakkelijke momenten opleveren.

***Om over na te denken***
*Je koopt een geweldige spijkerbroek. Je komt op school en je vrienden zeggen je dat ze het helemaal niets vinden. Hoe voel je je dan? Draag je de spijkerbroek toch of laat je 'm in de kast liggen? Hoe gevoelig ben je voor hun mening?*

Daarnaast kun je proberen te zoeken naar vrienden, klasgenoten of andere mensen die je stimuleren goed met je geld om te gaan.

**Tip**
Zoek mensen op die je kunnen helpen. Zij beïnvloeden je op een positieve manier. Aan de andere kant zijn er ook mensen die je kunnen tegenwerken om financieel bij de hand te worden. Let daar op en laat je niet beïnvloeden.

**Waarom financieel bijdehand?**
Vanaf je 18e veranderen er een heleboel zaken, zeker op financieel gebied. Je hebt het recht om zelf een telefoonabonnement af te sluiten en producten te kopen via internet. Veel jongeren gaan vanaf hun 18e zelfstandig wonen

en krijgen te maken met een heleboel vaste kosten, zoals huur, gas/water/licht en verzekeringskosten.
Je krijgt dus een heleboel rechten, maar daar horen ook verplichtingen bij. Tot je 18e worden je ouders aangesproken voor de rechten en plichten die voortkomen uit een aankoop. Vanaf je 18e ben je hier zelf verantwoordelijk voor.

Geef je bijvoorbeeld veel geld uit om in het weekend gezellig uit te gaan en blijft er zo te weinig over om je huur te betalen, dan krijg je een huurschuld. Als je deze schuld niet betaalt, loop je het risico om uit je huis gezet te worden. Betaal je de premie van de zorgverzekering niet, dan word je geconfronteerd met de rekening die is verhoogd met extra kosten.

*Dirk, 22 jaar, heeft schulden bij de zorgverzekering. Hij vindt het onzin om premie te betalen omdat hij nooit naar de dokter gaat. En als hij naar de dokter gaat, dan krijgt hij een rekening thuis voor de eigen bijdrage. Waarom moet hij dan premie betalen? De schuld bij de zorgverzekeraar is inmiddels opgelopen tot meer dan € 1.000. Dit is voor hem een erg groot bedrag, omdat hij een uitkering ontvangt. Van zijn uitkering kan hij ook niet rondkomen.*

*Omdat hij hele dagen niets te doen heeft (geen werk, geen school), hangt hij vaak op straat. Hier koopt hij eten/drinken en rookt extra veel sigaretten. Ook koopt hij dure kleding. Het maken van een overzicht van de financiën vindt hij zinloos. Hij is van mening dat er niets gedaan kan worden aan zijn uitgavenpatroon en dat hij niet meer uitgeeft dan noodzakelijk.*

## Inkomsten

Wanneer je jong bent, krijg je vaak alleen zakgeld. Als je ouder wordt, krijg je er misschien ook nog kleedgeld bij van je ouders. Bovendien kun je extra geld verdienen met een bijbaantje of vakantiewerk. Hieronder bespreken we deze 'inkomsten'. Verder geven we handige tips, bijvoorbeeld over de manier waarop je met je ouders bespreekt wat je wel en wat je misschien niet van je zakgeld moet betalen en hoe je aan een leuk bijbaantje komt.

**Zakgeld**

De hoogte van je zakgeld bespreek je met je ouders. Je kunt het bedrag vergelijken met hetgeen in Nederland gemiddeld aan zakgeld wordt gegeven (www.nibud.nl).
Niet alleen de hoogte van je zakgeld is belangrijk. Het is ook goed om te weten wat je van je zakgeld moet betalen, zoals de boete voor het te laat terugbrengen van de bibliotheekboeken, een broodje in de schoolkantine, cadeautjes voor broers en zussen en ga zo maar door.

Om allerlei discussies te voorkomen, kun je afspraken met je ouders vastleggen in een zakgeldcontract. De belangrijkste afspraken zijn:

- Wat moet je zelf betalen?
- Krijg je elke maand of elke week zakgeld?
- Hoeveel moet je sparen?
- Krijg je je zakgeld contant of wordt het overgemaakt naar je bankrekening?
- Wanneer wordt de hoogte van het zakgeld bekeken/herzien? Doe je dat eens per jaar/twee jaar?

Krijg je nog geen zakgeld of vind je dat het zakgeld onvoldoende is, bespreek het dan met je ouders. Hoe doe je dit op een slimme manier? Op de volgende bladzijde volgen een aantal tips:

- Denk goed na. Als je over een zakgeldverhoging begint, kan het ook een gelegenheid voor je ouders zijn om met je over de besteding van je zakgeld te spreken. Zie hieronder het voorbeeld van Frank.
- Verplaats je in de positie van je ouders (zou jij jezelf meer zakgeld geven?).
- Wacht het goede moment af. Begin niet over zakgeldverhoging als je ouders moe uit hun werk komen.
- Geef duidelijk aan waarom je meer geld nodig hebt. Begin niet met het noemen van het bedrag dat je extra nodig hebt. Kom zelf met een onderbouwd plan.
- Vergelijk je niet met anderen, want de situatie is nooit hetzelfde.
- Verwacht niet meteen een antwoord van je ouders. Wees geduldig en wacht af.
- Zeur niet. Dat roept irritatie op bij je ouders en het maakt het lastiger om je doel te bereiken.

*Frank (16 jaar) krijgt evenveel zakgeld als zijn broer van 13. Hij vindt dit niet eerlijk. Om zijn ouders te overtuigen, maakt hij een overzicht van de uitgaven die hij maandelijks heeft. Hij heeft ook duidelijk gemaakt waaraan hij het extra geld wil besteden. Op die manier staat het 'probleem' zwart-op-wit. Dit voorkomt een hoop discussie. Frank krijgt inderdaad een zakgeldverhoging. Maar aan de andere kant wordt ook van hem verwacht dat hij minder geld gaat besteden aan snoep.*

## Kleedgeld

Krijg jij kleedgeld om zelf je kleding uit te zoeken of ga je met je vader of moeder de stad in?

Voordeel van kleedgeld:

- Je kunt je eigen smaak volgen.
- Je hoeft niet steeds te zeuren om kleding want je beheert je eigen budget.
- Je leert omgaan met een bepaald budget.

*Ellen (12 jaar) krijgt sinds kort kleedgeld. Haar moeder kwam met dit idee. Ellen vindt het fantastisch. Ze gaat met vriendinnen lekker shoppen in de stad. Schoenen, jassen en sportkleding krijgt ze van haar ouders. Ze komt redelijk uit met haar geld.*

Veel ouders geven geen kleedgeld. Wil jij wel geld om zelf kleding te kopen, leg ze dan uit waarom dit belangrijk voor je is. Annabel (15 jaar) heeft de volgende tips:

- Bedenk goede argumenten (minder ruzie over hoeveelheid kleding, momenten waarop kleding wordt gekocht).
- Maak zelf een overzicht van de kleding die je nodig hebt per seizoen/jaar en hoeveel dat volgens jou kost.
- Vergelijk je overzicht met wat anderen aan kleedgeld krijgen (of kijk op www.nibudjong.nl).
- Ga eerst over het idee praten en laat je ouders erover nadenken. Probeer het niet direct te regelen.
- Maak geen ruzie maar blijf rustig.

Begin met een klein bedrag en laat zien dat het je lukt. Krijg je wel kleedgeld, dan is het goed met je ouders afspraken te maken over de kleding die je ervan moet betalen. Betalen zij je winterjas en schoenen of moet je dit van je kleedgeld betalen? Denk ook aan sportkleding, nette kleding, handschoenen.

Als je kleedgeld hebt, ben je er zelf verantwoordelijk voor dat je uitkomt met je geld. Een aantal tips:

- Koop niet direct, maar kijk en vergelijk.
- Ga niet alleen winkelen in dure winkels, maar bezoek ook winkels met goedkopere kleding.
- Neem kleding over van oudere broers of zussen.
- Zoek naar tweedehandskleding.
- Zorg voor een aantal leuke, mooie kledingstukken en combineer die met goedkope of tweedehandskleding.
- Wacht tot de uitverkoop.
- Bewaar je kassabon, dan kun je altijd je kleding terugbrengen of ruilen.

Vind je dat je te weinig kleedgeld krijgt? Probeer dan eens het volgende:

- Ga met je ouders praten en probeer nieuwe afspraken te maken. Zorg dat je een lijst hebt gemaakt van je aankopen zodat je kunt laten zien dat het écht te weinig geld is, dat je krijgt.
- Bezuinig op je kledinguitgaven (of op andere uitgaven).
- Vul het kleedgeld aan met je zakgeld of zoek een baantje.

## Vakantiewerk/bijbaantje

Om extra geld te verdienen, kun je tijdens de schoolvakanties vakantiewerk doen. Hiervoor gelden per leeftijd verschillende regels. Meer informatie vind je op de site www.vakantiewerkonline.nl of http://www.loonwijzer.nl/home/jeugdloonwijzer/vakantiewerk

***Weetje - Zoutstaaf en salaris***

*Wat heeft een zoutstaaf nu met salaris te maken?*
*Je eerste salaris is iets heel bijzonders. Nu ruil je je uren in voor geld, vroeger werd je uitbetaald in zoutstaven. Zout was veel waard, kon niet bederven en was relatief gemakkelijk mee te nemen. Van die zoutstaven komt ons woord 'salaris' vandaan. 'Sal' betekent namelijk zout. Hiernaast zie je zo'n zoutstaaf. Mensen likten aan de uiteinden om te controleren of het wel echt zout was.*

Het hebben van een baantje of vakantiewerk heeft veel voordelen:

- Je leert hoelang je moet werken voor een bepaald bedrag (je leert de waarde van geld kennen).
- Je zult ervaren dat werk niet altijd leuk is, ook ééntonige of vervelende klusjes horen erbij.
- Je leert nieuwe mensen kennen.
- Je doet ervaring op.
- Je test je doorzettingsvermogen.
- Het levert discipline op (je moet vroeg op, je moet op tijd zijn).
- Je krijgt meer begrip voor je ouders en anderen die werken.

*Daan (16 jaar) brengt posters rond van een concertstichting in zijn woonplaats. Daar verdient hij € 30 mee. Hij is erg blij met zijn baantje. Het geld bewaart hij in een potje op zijn slaapkamer. Daar betaalt hij de extra dingen van, zoals een kaartje voor een feest.*

## Hoe vind je een baantje?

Soms komt een baantje 'vanzelf' voorbij. Een vriend van je vader zoekt nog iemand of je leest toevallig een briefje in de supermarkt. Maar meestal moet je zelf in actie komen. Hieronder krijg je zes tips.

### *1. Wat vind je leuk?*

Bedenk eerst wat je zou willen doen. Lijkt het je leuk om vakken te vullen of vind je het heerlijk om 's morgens vroeg op te staan en kranten te bezorgen?

### *2. Schakel hulptroepen in*

Vraag anderen je te helpen. Misschien kunnen buren, kennissen en vrienden je helpen om iets te vinden. Vertel het aan zo veel mogelijk mensen. Als je zelf geen krantenwijk wilt, kun je vrienden vragen of je af en toe hun krantenwijk mag overnemen, bijvoorbeeld als ze op vakantie gaan. Dan hebben zij ook af en toe vrij en verdien jij nog wat bij.

### *3. Kijk om je heen*

In de krant en op internet worden vacatures geplaatst. Neem de krant dus door en kijk regelmatig op internet. Als je in een winkel wilt werken, ga dan eens langs. Vaak hebben ze een briefje hangen als ze iemand zoeken. Zo niet, informeer dan in de winkel.

***4. School***

Soms doe je tijdens je schooltijd een (snuffel-)stage bij een bedrijf of organisatie. Als dat een leuke stage is geweest, kun je misschien de kans aangrijpen om te vragen of ze nog mensen zoeken.

***5. Uitzendbureau***

Je kunt je ook inschrijven bij een uitzendbureau. Komt er een vacature langs die past bij jouw zoekopdracht/profiel, dan word je door het uitzendbureau benaderd.

***6. Solliciteren***

Als je precies weet wat je wilt, kun je het bedrijf ook direct benaderen. Bel of schrijf gewoon een sollicitatiebrief.

Maar denk eens verder…
Waarom zou je zelf geen bedrijf beginnen. In de Verenigde Staten is het heel gewoon om kinderen te stimuleren een eigen zaak op te zetten. Een aantal tips op een rijtje uit zo'n Amerikaans boek (Drew & Drew):

- Bedenk activiteiten waar volwassenen het te druk voor hebben (strijken, hond uitlaten, schilderen, kinderfeestjes organiseren).
- Bedenk activiteiten waar volwassenen geen zin in hebben (ramen wassen, auto's wassen, grasmaaien).
- Bedenk dingen die steeds opnieuw vuil worden (boot, vloeren).
- Verkoop dingen die anderen weggooien.
- Bedenk wat je persoonlijke talenten zijn en ga na of dit uitvoerbaar is (muziek maken, websites bouwen, computers updaten).

Kijk ook eens op www.bizworld.nl.

***Weetje - Geld en handel zonder banken?***
*Als je begint met handelen heb je veel geld nodig. Maar als je al een poosje een goed handeltje hebt lopen, dan heb je waarschijnlijk geld over. Dat was vroeger ook zo. De geldwisselaars namen daarom ook geld in bewaring voor mensen die geld over hadden. En dat geld leenden ze dan weer uit aan anderen die geld nodig hadden. Daarmee waren geldwisselaars de voorlopers van banken. De allereerste bank die zo ontstond was Banca Montei dei Pachi, die in 1472 werd opgericht in Siena. Deze bank bestaat nog steeds.*

*Banken handelen dus in geld. Ze krijgen geld van iemand die teveel heeft en dat lenen ze weer aan iemand die het nodig heeft. Banken verdienen hiermee geld door meer rente te vragen als ze geld uitlenen en minder rente te geven als ze geld binnenkrijgen. Het verschil in deze rentes is het resultaat van de bank. Dit resultaat hebben ze nodig om personeel en een heleboel andere kosten, te betalen.*

Een aantal voorbeelden van jonge ondernemers in Nederland:
- Ben Woldring is een internetondernemer. Toen hij 13 jaar was, moest hij voor een opdracht op school de telefoontarieven vergelijken van verschillende aanbieders. Hij startte toen de website www.bellen.com. De website werd een succes. Geld verdiende hij door advertenties op de site te plaatsen. Ook heeft hij de Bencon Group opgericht, een internetbedrijf.
- Rory Bertram begon op zijn 16e met geld verdienen. Een beetje handelen op school. Horloges en zonnebrillen uit Spanje, dat werk. Hij houdt van de spanning die hoort bij dat proces. Als hij ergens niet vies van is, dan is het om zelf de handen uit de mouwen steken en te werken voor zijn geld. Op dit moment heeft hij een aantal andere bedrijven, zoals www.KlusJobs.be.

- Nik Verploegen, 15 jaar: 'Al van kinds af aan ben ik bezig met het opzetten, bouwen en ontwerpen van websites. Ik had tot twee jaar geleden eigenlijk niet eens nagedacht om een bedrijf te beginnen. Ik werd aangespoord om te gaan ondernemen, omdat mijn eigen sponsor het voor gezien hield en ik dus alles zelf moest gaan regelen. De hosting, de domeinnaam en het opnieuw opzetten van mijn website, ik moest het allemaal zelf doen. Ik kreeg door dat hier heel veel geld in te verdienen valt, zeker als je bedrijven naar je toe trekt.

*Marieke, 14 jaar: 'Mijn vriendin en ik helpen soms oudere dames om hun boodschappen of spullen in de kelder op te bergen . omdat ze dat zelf niet goed meer kunnen. Zo verdienen we wat extra geld.'*

Andere ideeën:

- Geef bijles aan kinderen uit lagere klassen.
- Doe aan zo veel mogelijk (gratis) prijsvragen mee op internet, om zo kans te maken op prijzen. Deze prijzen kun je als je wint weer verkopen.
- Verkoop je boeken (in overleg met je ouders) op internet, via marktplaats of boekwinkeltjes.
- Help met kerstbomen op- en aftuigen.
- Verhuur jezelf als Zwarte Piet.
- Begin een hondenuitlaatservice.

*Halima (17 jaar): 'Ik geef bijles wiskunde voor drie uur per week. Daar verdien ik € 30 mee. Op deze manier heb ik extra kleedgeld!*

# Uitgaven

Je kunt pas geld uitgeven als je inkomsten hebt. Waar geef je je geld aan uit?

**Vaste en variabele uitgaven**
Uitgaven zijn te verdelen in twee categorieën. Ten eerste de vaste uitgaven. Dat zijn uitgaven die elke week of maand terugkomen. Deze kosten zijn vast, omdat ze in principe niet direct te beïnvloeden zijn. Voorbeelden hiervan zijn kosten om te wonen (zoals huur), kosten voor water/gas/licht en verzekeringskosten (zoals ziektekosten). Je kunt niet op elk moment je verzekering opzeggen, je kunt ook niet zomaar de huur van een kamer of huis opzeggen. Met veel van deze kosten heb je zelf waarschijnlijk nog niet te maken, maar je ouders wel. Zodra je op kamers gaat wonen, krijg je hier wel mee te maken.
De tweede categorie zijn de variabele uitgaven. Hieronder vallen alle overige kosten, zoals kosten voor kleding, eten en drinken, vervoer (bus, fiets) en telefoon. Of je deze kosten maakt en de hoogte van de kosten hangt af van jou zelf.

**Sparen**
Geld dat je spaart is een soort vaste 'uitgave'. Je zet dit geld bij ontvangst direct apart. Als je wacht tot het eind van de maand, is de kans groot dat er weinig of niets over is om te sparen. Door het direct apart te zetten, word je niet in de verleiding gebracht om al je geld uit te geven.

Sparen doe je om een aantal redenen:

- Om voorbereid te zijn op onverwachte uitgaven, bijvoorbeeld een reparatie aan je fiets. Je kunt hier een bedrag, bijvoorbeeld € 5 per maand, voor opzijleggen.
- Om een bepaald doel te realiseren, om iets groots te kopen. Stel, je wilt heel graag een nieuwe mobiel. Als je weet hoeveel die mobiel kost en je kunt ongeveer € 10 per maand opzij leggen, dan kun je uitrekenen over hoeveel maanden je de mobiel kunt aanschaffen.
- Om jezelf aan te leren niet alles (direct) uit te geven.

Ook al heb je weinig geld, begin toch met sparen. Ook al is het maar een klein bedrag per maand.

***Weetje - Waarde van geld?***
*In feite is geld niets waard. Het drukken van een geldbiljet kost maar een paar cent. De waarde in het betalingsverkeer is vele malen groter. We hebben daar in Europa afspraken over gemaakt. We hebben afgesproken dat een euro waarde heeft als ruilmiddel. En zolang we daar met z'n allen in geloven en in blijven geloven, heeft het waarde.*

**Waarom heb je overzicht nodig?**
Als je niet weet hoeveel geld je hebt of als je meer geld uitgeeft dan je hebt, is dat altijd vervelend. Je moet misschien geld lenen (bij je ouders of bij vrienden) of je gaat liegen ('Ik ben mijn portemonnee kwijt, kan ik even wat van jou lenen?'). Het kan ook zijn dat je ervan overtuigd raakt dat je gewoon niet goed met geld kunt omgaan. Dat je er gewoon niets aan kunt doen. Dat is vervelend, want dat betekent dat je er niet meer over na wilt denken of naar een oplossing wilt zoeken maar dat je je neerlegt bij het feit dat het bij jou financieel nu eenmaal een rommeltje is.

Overzicht aanbrengen, uitgaven op een rijtje zetten.... Het kost tijd. En het is niet altijd leuk om te doen. Maar het is fijn om te weten hoeveel geld je hebt en hoeveel geld je kunt uitgeven. Als je de uitgaven bijhoudt, blijkt opeens bijvoorbeeld hoeveel tijdschriften je per maand koopt. Je kunt nu beslissen één keer per maand je favoriete tijdschrift te kopen of misschien een abonnement hierop te nemen. Overzicht houden over je inkomsten en uitgaven levert geld op! Je gaat namelijk bewuster om met geld en dat betekent vaak dat je minder/beter uitgeeft.

Je denkt misschien dat het geen zin heeft om je inkomsten en uitgaven op een rijtje te zetten, dat je er geen tijd voor hebt of dat het al zo'n puinhoop is dat je er toch niets meer aan kunt doen.

Maar let op: iedereen kan leren om overzicht aan te brengen en zijn uitgaven en inkomsten bij te houden. Het helpt om na te gaan wat je ermee wilt bereiken. Wil je ergens voor sparen? Wil je komende zomer op vakantie? Dat motiveert je om aan de slag te gaan.

Je moet in feite het 'kunstje' leren om je inkomsten en je uitgaven bij te houden. Je hebt het nog nooit gedaan en het lijkt ingewikkeld en moeilijk. Maar het is natuurlijk gewoon een kwestie van doen. Dan gaat het vanzelf.
Het kan ook zijn dat je gewoon graag geld uitgeeft, graag winkelt, veel reclame kijkt en je laat beïnvloeden door vrienden. Daar kun je zelf ook wat aan doen. Dat is niet altijd gemakkelijk, maar het levert wel iets op. Je kunt ervoor kiezen minder vaak te gaan winkelen, geen reclame meer te kijken en je niet te laten beïnvloeden. Op die manier heb je meer 'grip' op je uitgaven. En de uitgaven die je dan nog hebt, kun je ook met plezier doen, omdat je zeker weet dat je er ook genoeg geld voor hebt.

***Om over na te denken***
*Max, 14 jaar, gaat elk weekend naar de voetbalclub. Al zijn vriendjes hebben veel geld bij zich om broodjes, chips en drinken te kopen. Max wil niet voor zijn vrienden onderdoen en neemt ook veel geld mee. Hij krijgt € 30 zakgeld per maand, maar een weekendje voetbal kost hem al snel € 10. Wat zou jij doen?*

## Hoe maak je een begin?

Hoe je je geld besteedt, moet je in grote lijnen bespreken met je ouders. Je ouders hebben waarschijnlijk bepaalde ideeën over dat wat je met je zakgeld moet doen. Ze willen misschien dat je een deel besteedt aan cadeautjes voor gezinsleden en dat je een gedeelte in je spaarpot stopt. Spreek dit van tevoren goed met hen af. Maar ga ook zelf na wat je met je geld wilt doen.

Hoelang moet je sparen voor een brommer en hoeveel moet je dan opzijzetten? Misschien kom je erachter dat je te weinig inkomsten hebt en dat je op zoek moet naar een baantje.

*Rob (16 jaar) wil sparen voor een laptop. Hij krijgt nu alleen maar zakgeld van zijn ouders. En in dat geval doet hij er drie jaar over voor hij zijn laptop kan kopen. Hij besluit een baantje te zoeken. Hij praat met zijn neef die een krantenwijk heeft. De volgende dag stuurt Rob een mailtje naar de krant met de vraag of ze nog bezorgers nodig hebben.*

Schrijf alle afspraken op. Dus de afspraken met je ouders, maar ook de afspraken met jezelf. Als je je aan je afspraken houdt, zul je je doel bereiken. Als je jezelf wilt 'dwingen' om deze afspraken ook echt na te komen, is het een idee om er een soort 'contract' van te maken. In dit contract kun je ook vastleggen dat je een overzicht bijhoudt van je inkomsten en uitgaven en dat je dit overzicht periodiek bespreekt met je ouders.

# Zakgeldcontract

Ingangsdatum zakgeldcontract:
........................

Zakgeld bestemd voor: ...........................
Ik krijg elke week op ............dag mijn zakgeld.
Ik krijg elke week € .............. zakgeld.

We spreken het volgende af:
€ ... moet ik sparen.
€ ... moet ik besteden aan cadeaus.
€ ... mag ik vrij besteden.

Verder spreken we nog af:
- dat ik broodjes op school en de voetbalclub van mijn zakgeld koop;
- dat ik de gesprekskosten van mijn mobiel ook van het zakgeld betaal;
- dat ik geen geld mag lenen;
- dat ik dit kasboek steeds aan het eind van de maand bespreek met mijn vader en moeder.

Datum: ........................................
Handtekening: .................................. (ouder)
Handtekening: .................................. (kind)

Afspraken, een contract, overzicht bijhouden van je inkomsten en uitgaven (je administratie bijhouden), het is een belangrijk begin op weg naar financiële onafhankelijkheid.

*Justin (15 jaar) wil graag een nieuw mobieltje kopen, dat is zijn doel. Dat betekent dat hij een paar dingen moet doen:*

- *Hij moet een baantje zoeken om extra geld te verdienen, want zijn zakgeld is onvoldoende.*
- *Ook moet hij elke dag bijhouden wat hij aan inkomsten en uitgaven heeft.*
- *Hij moet een bepaald bedrag per maand sparen.*

## Administratie en kasboek

Van je inkomsten en je uitgaven moet je een overzicht bijhouden. In deze paragraaf leggen we je uit hoe je dat doet.

**A van Administreren**
Administreren is het precies en duidelijk vastleggen van gegevens, zodat het later gemakkelijk is terug te vinden en te controleren. Je doet dit om overzicht te houden over je financiën.

Een eenvoudige vorm van administratie is het kasboek. Een kasboek is niets meer en niets minder dan het bijhouden van inkomsten en uitgaven op volgorde van datum.

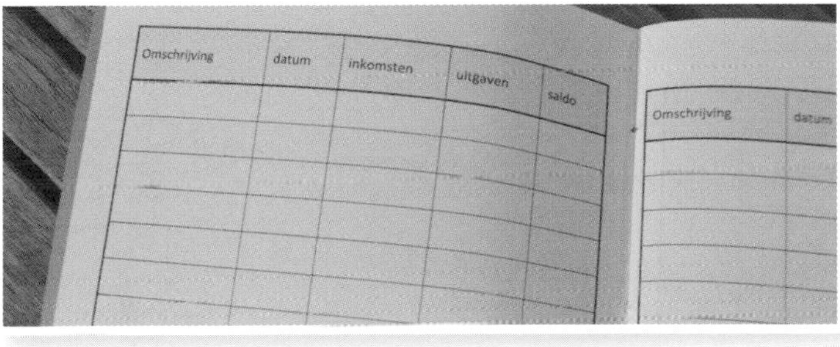

Zo'n 50 jaar geleden hadden alle moeders zo'n kasboek. Dat heette een huishoudboekje. Daarin schreven ze alle uitgaven op, zoals de kosten voor de bakker, de slager en de groenteman. Op die manier hielden ze bij hoeveel het huishouden kostte. Tegenwoordig houden veel mensen hun financiën bij in Excel.

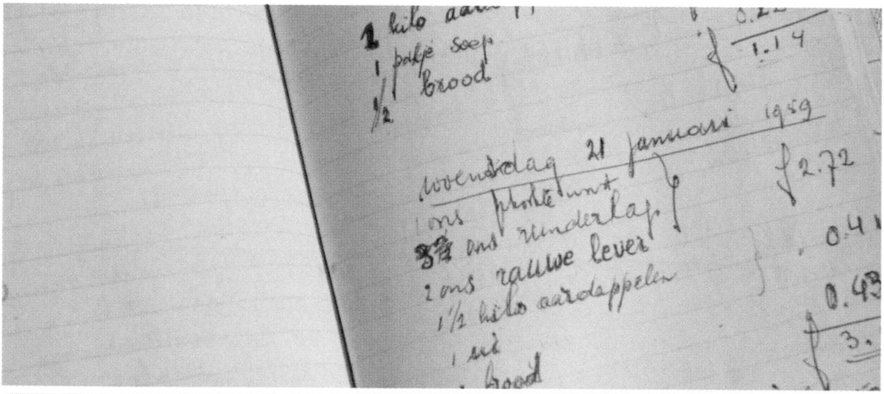

***Administratie nu***

Iedereen heeft tegenwoordig een bankpas en kan overal pinnen. Dat betekent dat je op elk moment over geld kunt beschikken (als het op je rekening staat). Dit is gemakkelijk, maar levert ook problemen op.

- Je verliest gemakkelijker het overzicht als je geld pint. Je neemt geld op en je vergeet het net zo snel.
- Je neemt ook sneller en gemakkelijker de beslissing om geld uit te geven als je kunt pinnen. Dat komt omdat je geen echt geld ziet, waardoor het voelt alsof je nog genoeg geld hebt.

Veel mensen komen in onze tijd van 'overvloed' dan ook in financiële problemen. Ze geven geld uit zonder te weten of ze wel voldoende geld hebben.

*'Weten wat je uitgeeft, is het begin van de verandering.'*

Terug naar af. Terug naar tijden van het huishoudboekje en het kasboek.
Het kasboek, de eenvoudigste wijze van administratie, is nog steeds belangrijk en waardevol. Het komt erop neer dat je elke dag opschrijft wat je hebt uitgegeven en wat je hebt ontvangen. Op die manier houd je dus bij hoeveel geld je op je bank en/of in je portemonnee hebt.

***Om over na te denken***
*Wat is de laatste aankoop die je hebt gedaan? Weet je nog wat je hebt gekocht en hoe duur het was? Weet je ook of je voldoende geld had om die aankoop te doen? Heb je van tevoren nagedacht over de aankoop? Ben je tevreden met wat je hebt gekocht of had je het beter kunnen laten liggen?*

***Kasboek***
Een kasboek kun je bijhouden in een schrift, in een spreadsheet of op je smartphone. Het komt gewoon neer op het bijhouden van je inkomsten en uitgaven.

*De bank slaat je geld op in een beveiligde opslagruimte. Een ander woord voor zo'n ruimte is kassa, afkomstig van het Italiaanse woord 'cassa'.*

Een kasboek bijhouden betekent dus dat je overzicht hebt over wat je nog in kas hebt, wat je nog in je portemonnee aan contant geld hebt. Maar je kunt dit overzicht natuurlijk ook maken van het geld dat je op je bank hebt staan.
Een kasboek bijhouden is niet moeilijk. Om een begin te maken, kun je de volgende tabel overnemen.

| Omschrijving A | Datum B | Inkomsten C | Uitgaven D | Saldo E |
|---|---|---|---|---|
| Inkomsten (Zakgeld) | 1/10 | € 20 | | € 20 |
| Cadeau | 3/10 | | - € 5 | € 15 |
| Vrije tijd (Tijdschrift) | 6/10 | | - € 5 | € 10 |
| Inkomsten (Bijbaantje supermarkt) | 14/10 | € 200 | | € 210 |
| Tussendoortje (Chips station) | 15/10 | | - € 2,50 | € 207,50 |
| Tussendoortje (Snoep) | 16/10 | | - € 2,50 | € 205 |
| Telefoon | 20/10 | | - € 10 | € 195 |
| Inkomsten (Oppas buren) | 25/10 | € 15 | | € 210 |
| Tussendoortje (Broodje school) | 26/10 | | - € 3,50 | € 206,50 |
| Inkomsten (Kleedgeld) | 1/11 | € 50 | | € 256,50 |

In kolom A staat de omschrijving van het soort inkomsten of uitgaven. Dit kan zijn: zakgeld of geld van je bijbaantje (inkomsten) of het cadeautje dat je hebt gekocht, de zak chips op het station, het broodje op school (uitgaven). Kies hiervoor een aantal vaste omschrijvingen. Op deze manier heb je sneller het idee waar je het meeste geld aan uitgeeft. Kies niet teveel omschrijvingen, maar dwing jezelf om aan maximaal tien omschrijvingen voldoende te hebben.

Waarschijnlijk heb je aan deze omschrijvingen voldoende:
- inkomsten
- cadeaus
- tussendoortjes
- telefoon
- vrije tijd
- uitgaan
- hobby
- kleding
- sparen
- vervoer

In kolom B noteer je op welke datum je geld hebt gekregen of een uitgave hebt gedaan.
In kolom C staan alleen je inkomsten. Dat kan je zakgeld zijn, maar ook geld dat je hebt verdiend.
In kolom D noteer je alle uitgaven.
Kolom E is een belangrijke. Daar schrijf je op wat er nog in je portemonnee of op je bankrekening staat. Dus als je de uitgaven hebt afgetrokken van je inkomsten. Dat is het saldo, het bedrag dat overblijft.

***Weetje - bankrekening***

*Geld dat je overhoudt, kun je naar de bank brengen. Als je dat geld op een bankrekening zet, dan vertoont je rekening een creditstand. Dat woord credit komt van 'credere'. Dat is Latijn en betekent geloven of toevertrouwen. Je vertrouwt jouw geld dus toe aan de bank. De bank is daar blij mee en 'beloont' je voor het feit dat jij geld op je rekening hebt staan. Je krijgt rente van de bank. Als je geen geld overhebt, maar geld tekortkomt op je bankrekening, sta je rood. Je hebt nu een schuld aan de bank. Je moet dus geld aan de bank betalen. Dat rood staan is een lening die je bij de bank hebt. Hierover betaal je ook weer een bepaald percentage rente aan de bank.*
*Er wordt ook wel gezegd dat je rekening dan een debetstand vertoont. Debet kennen we ook wel als je ergens schuldig aan bent. Dat wordt gezegd 'je bent er zelf debet aan'.*
*Je ziet de termen debet en credet terug op het voorbeelddag-afschrift hieronder.*

ABN·AMRO

**Rekeningafschrift**

Markt
Postbus 17
5560 AA VALKENSWAARD
Tel: 0900-0024 (EUR 0,10 p/m)
Internet: www.abnamro.nl

Bertus Bertense
Zangerlaan 5
9999 AA AMSTERDAM

| Soort rekening (in EUR) | BIC | | | | |
|---|---|---|---|---|---|
| INTERNETKWARTAAL SPAARREKENING | ABNANL2A | | | | |
| **Rekeningnummer** | **IBAN** | **Datum afschrift** | **Aantal bladen** | **Blad** | **Volgnr** |
| 12.34.56.789 | NL52ABNA0123456789 | 31-12-2008 | 1 | 001 | 13 |
| **Vorig saldo** | **Nieuw saldo** | **Totaal afgeschreven** | **Totaal bijgeschreven** | | |
| 4.300,00 +/CREDIT | 4.117,00 +/CREDIT | 550,00 | 367,00 | | |

| Boekdatum (Rentedatum) | Omschrijving | Bedrag af (debet) | Bedrag bij (credit) |
|---|---|---|---|
| 29-12 (29-12) | 12.34.56.789 Karel Karelse ZANGERLAAN 5 9999 AA AMSTERDAM * | | 250,00 |
| 29-12 (25-12) | 98.76.54.321 Jan jansen CJ ZANGERLAAN 5 9999 AA AMSTERDAM | | 117,00 |
| 23-12 (23-12) | 12.34.56.789 Peter Peterse | 250,00 | |
| 22-12 (22-12) | 98.76.54.321 Kees Ketting | 300,00 | |

KIJK EENS OP WWW.ABNAMRO.NL WEBSHOP VOOR ORIGINELE CADEAU IDEEëN.

Voor meer informatie over de valuteringsregels van ABN AMRO, kijk op www.abnamro.nl of haal de brochure bij één van onze vestigingen.

## B van Bewaren

Alles wat te maken heeft met je administratie moet je bewaren. Het gaat om de papieren bewijzen van je inkomsten en uitgaven. Dat zijn bijvoorbeeld loonstrookjes van je bijbaantje, rekeningen van je mobiel en dagafschriften van de bank. Die papieren heb je nodig om uit te rekenen en te controleren hoeveel geld je hebt en hoeveel geld je uitgeeft.

***Welke papieren moet je bewaren?***

Van je ouders krijg je zakgeld en kleedgeld. Als ze je het geld contant geven, heb je daarvan geen bewijs. Maken ze het geld over naar je bankrekening dan zie je dat op het afschrift van de bank. Van het geld dat je verdient met een baantje krijg je een loonstrook. Daarop staat precies beschreven wat je die maand hebt verdiend. Het geld wordt overgemaakt naar je bankrekening en zal op je bankafschrift vermeld staan.

Als je in een winkel iets koopt, krijg je altijd een bonnetje. Waarschijnlijk zeg je in de winkel dat je het bonnetje niet nodig hebt. Maar om te weten wat en hoeveel je uitgeeft, kun je niet zonder deze bonnetjes. Het is onmogelijk om al je aankopen te onthouden. Daarom is het verstandig vanaf nu alle bonnetjes te bewaren en in je portemonnee te stoppen. Aan het eind van de dag pak je de bonnetjes erbij en kun je eenvoudig al je uitgaven opschrijven in het kasboek.

Van aankopen in de sportkantine of de kantine op school krijg je geen bonnetje. Zorg ervoor dat je aan het eind van de dag even de tijd neemt om na te gaan wat je hebt gedaan, waar je bent geweest en wat je hebt uitgegeven. Zo kom je erachter welke aankopen je gedaan hebt waar je geen bewijs van hebt gekregen. Per dag is dat prima bij te houden. Je kunt ook je uitgaven direct in je mobiel zetten.

Als je een bankpas hebt, krijg je of papieren afschriften van de bank of je kunt via internet je afschriften downloaden. Die afschriften geven de betalingen aan die je met je pinpas hebt gedaan, het geld dat je krijgt van je ouders en eventueel je salaris. De aankopen die je met contant geld hebt betaald staan daar niet op.
Die bankafschriften moet je bewaren. Ze zijn genummerd. Je legt ze op volgorde. Het laagste nummer onderop.

***Wat moet je bewaren?***
Elke dag werk je het kasboek bij. Dat doe je aan de hand van je bonnen. De meeste bonnen kun je daarna weggooien. Die heb je niet meer nodig. Bonnen van kleding, apparaten en aankopen waar garantie op zit moet je bewaren. Als je thuiskomt met bijvoorbeeld een nieuwe jas en de rits blijkt niet goed te werken, dan heb je de bon nodig om je jas te ruilen. Om te bepalen of je papieren wel of niet moet bewaren, kun je de volgende drie vragen stellen:

| | | |
|---|---|---|
| Heeft dit papier te maken met mijn uitgaven, inkomsten? | Ja! | bewaar |
| Helpt dit papier mij, kan dit papier nut hebben (dat ik het nog eens gebruik), bijvoorbeeld een dagafschrift van de bank of garantiebewijs? | Ja! | bewaar |
| Zijn er fiscale of juridische redenen om dit papier te bewaren (bijvoorbeeld je burgerservicenummer)? | Ja! | bewaar |

Kun je alle vragen beantwoorden met ‘nee’, dan hoef je de papieren niet te bewaren.

***Hoe en waar bewaar je de papieren?***
Om alles goed te bewaren, is één map voldoende. De map deel je in verschillende hoofdstukken/onderwerpen in. Daar gebruik je tabbladen voor. Elk tabblad staat dus voor een hoofdstuk. Je hebt ten minste de volgende tabbladen:

- rekeningen (je bewaart de rekeningen op alfabetische volgorde)
- dagafschriften
- abonnementen/lidmaatschappen/andere vaste gegevens (inlogcodes)
- garantiebewijzen (mobiel, apparatuur)

Zo heb je de belangrijke papieren bij elkaar.
Als je merkt dat je een nieuw tabblad nodig hebt, voeg die dan direct toe.
Voor het maken van deze map heb je nodig: een map, perforator, nietmachine en tabbladen.

**Tip**
Gebruik geen tabblad met de naam 'divers'. Je weet niet wat je erachter moet doen, dus zul je er in de praktijk ook geen gebruik van maken.

**C van Controleren**
Aan de hand van wat je hebt geadministreerd en bewaard, kun je controles uitvoeren. We leggen hieronder uit hoe je zaken controleert. De administratie die je bijhoudt, de papieren die je bewaart, neem je aan het eind van elke week of maand door. Dit doe je voordat je weer zakgeld krijgt of voordat je loon wordt gestort op je rekening. Je bekijkt dan of je administratie klopt. En vooral kijk je of je bent uitgekomen met je geld.

### *Wat controleer je nu precies?*

Je vergelijkt je kasboek met de inhoud van je portemonnee. Omdat je dit elke dag al doet, hoeft het niet veel werk te zijn. Zo kun je zien waar je de afgelopen week/maand je geld aan hebt uitgegeven. Doordat je een indeling in categorieën hebt gemaakt (zie paragraaf Administratie, blz. 117), kun je nu per categorie gemakkelijk de uitgaven/inkomsten van de hele week/maand bij elkaar optellen.

Ook hebben we eerder onderscheid gemaakt tussen vaste en variabele kosten.Tot je 18e verjaardag heb je meestal niet te maken met vaste kosten, zoals huur en verzekeringen. Je ouders betalen deze kosten dan vaak nog. Maar het is toch goed om je te realiseren dat je, zodra je 18 jaar bent, hiermee wel te maken krijgt. Hieronder zie je een voorbeeld van zo'n kasboek.

*Uitgaven per maand*

| Omschrijving | Week 1 | Week 2 | Week 3 | Week 4 | maand (week 1 t/m 4) |
|---|---|---|---|---|---|
| Inkomsten | +€ 6 | +€ 6 | +€ 66 | +€ 6 | +€ 94 |
| **Vaste uitgaven** | | | | | |
| Huur | | | | | € 0 |
| Gas/water/licht | | | | | € 0 |
| Verzekeringen | | | | | € 0 |
| Abonnementen | | –€ 5 | | | –€ 5 |
| Sparen | –€ 2 | –€ 2 | –€ 2 | –€ 2 | –€ 8 |
| Telefoon | | | –€ 25 | | –€ 25 |
| **Subtotaal vaste uitgaven** | **–€ 2** | **–€ 7** | **–€ 27** | **–€ 2** | **–€ 38** |
| **Variabele uitgaven** | | | | | |
| Cadeau | –€ 5 | | –€ 5 | | –€ 10 |
| Vrije tijd | –€ 1 | –€ 1 | –€ 10 | –€ 5 | –€ 17 |
| Tussendoortje | –€ 2 | | –€ 4 | –€ 6 | –€ 12 |
| Telefoon | | | –€ 6 | –€ 7 | –€ 13 |
| Uitgaan | | –€ 10 | | –€ 15 | –€ 25 |
| **Subtotaal variabele uitgaven** | **–€ 8** | **–€ 11** | **–€ 25** | **–€ 33** | **–€ 77** |
| **Totaal uitgaven** | **–€ 10** | **–€ 18** | **–€ 52** | **–€ 35** | **–€ 115** |
| Saldo (verschil inkomsten en uitgaven) | –€ 4 | –€ 12 | +€ 14 | –€ 19 | –€ 21 |

Aan de hand van deze controle zie je dat je teveel uitgeeft en dat je geen geld overhoudt. In week 1 heb je € 6 aan inkomsten en geef je €10 uit. Je hebt dus € 4 teveel uitgegeven. In week 2 geef je €12 meer uit dan dat je aan inkomsten hebt. In week 3 komt je loon binnen en houd je € 14 over. Tel je de cijfers voor de hele maand op (week 1 t/m 4) dan zie je dat je € 94 aan inkomsten hebt en dat je voor € 115 uitgeeft. Je geeft € 21 teveel uit.

Je kunt dan een aantal dingen doen. Het belangrijkste is om je uitgaven terug te brengen. Ook kun je de inkomsten proberen te vergroten, door vaker op te passen, extra uren te werken (als je dat kunt combineren met je opleiding) of meer zakgeld te vragen. Daarnaast is het ook belangrijk om een begroting te maken.

***Begroten***

Begroten is het vooraf inschatten van je uitgaven en inkomsten. Je kunt een begroting maken voor een week, een maand of een jaar. Je maakt een begroting om van tevoren te berekenen of je voldoende inkomsten hebt om je geplande uitgaven te kunnen doen.

*Manon: 'Mijn maandelijkse inkomen is meer dan voldoende. Ik moet daar gemakkelijk van rond kunnen komen. Maar het lukt me niet. Halverwege de maand is mijn geld al op. Ik begrijp niet zo goed hoe dat kan.'*

Met je begroting kun je zien of je je doel gaat halen. Het is belangrijk dat je die doelstelling steeds in de gaten houdt wanneer je de uitgaven en inkomsten bijwerkt. Want dat zorgt ervoor dat je je geld niet aan andere zaken uitgeeft. Je let op en je bent zuinig, want je wilt er zeker van zijn dat je in de zomervakantie voldoende geld hebt voor bijvoorbeeld dat fototoestel dat je graag wilt hebben (je doel). Dat betekent niet dat je arm of gierig bent. Nee, je hebt jezelf een doel gesteld.

Die doelen stellen jou in staat om financieel bijdehand te worden. Het is een leidraad voor je gedrag en de keuzes die je maakt. En daarmee zorg je voor een financieel gezonde toekomst.

Om meer grip te krijgen op je uitgaven, is het goed om vooraf te weten wat je maandelijks ongeveer kwijt bent. Dat betekent dat je deze uitgaven moet begroten.

Hoe maak je een begroting?
Bij het opstellen van een begroting ga je na welke uitgaven echt noodzakelijk zijn, zoals huur, eten en drinken. Ook vraag je jezelf af of de andere uitgaven, zoals je ze de afgelopen periode hebt gemaakt, echt nodig zijn. Is het nodig om regelmatig een tussendoortje te kopen? Kan ik op het uitgaan besparen? Is het mogelijk om minder te bellen? Voor wie moet ik cadeautjes kopen en hoeveel wil ik gemiddeld aan een cadeautje besteden? Wanneer kan ik een abonnement opzeggen? Kan ik een ander, goedkoper telefoonabonnement afsluiten?

Heel concreet betekent dit dat je het overzicht van je uitgaven pakt en eenzelfde soort overzicht gaat maken, maar dan van je geplande uitgaven. Dat is je begroting.

De begroting die je dan maakt, kan er als volgt uitzien.

*Begroting per maand*

| Omschrijving | Week 1 | Week 2 | Week 3 | Week 4 | maand (week 1 t/m 4) |
|---|---|---|---|---|---|
| Inkomsten | +€ 16 | +€ 16 | +€ 66 | +€ 16 | +€ 114 |
| **Vaste uitgaven** | | | | | |
| Huur | | | | | € 0 |
| Gas/water/licht | | | | | € 0 |
| Verzekeringen | | | | | € 0 |
| Abonnementen | | –€ 5 | | | –€ 5 |
| Sparen | –€ 2 | –€ 2 | –€ 2 | –€ 2 | –€ 8 |
| Telefoon | | | –€ 25 | | –€ 25 |
| **Subtotaal vaste uitgaven** | **–€ 2** | **–€ 7** | **–€ 27** | **–€ 2** | **–€ 38** |
| **Variabele uitgaven** | | | | | |
| Cadeau | –€ 5 | | –€ 5 | | –€ 10 |
| Vrije tijd | | | –€ 5 | € 5 | –€ 10 |
| Tussendoortje | | | | –€ 2 | –€ 2 |
| Telefoon | –€ 2 | –€ 2 | –€ 2 | –€ 2 | –€ 8 |
| Uitgaan | | –€ 8 | | –€ 8 | –€ 16 |
| **Subtotaal variabele uitgaven** | **–€ 7** | **–€ 10** | **–€ 12** | **–€ 17** | **–€ 46** |
| **Totaal uitgaven** | **–€ 9** | **–€ 17** | **–€ 39** | **–€ 19** | **–€ 84** |
| Saldo (verschil inkomsten en uitgaven) | € 7 | –€ 1 | € 27 | –€ 3 | € 30 |

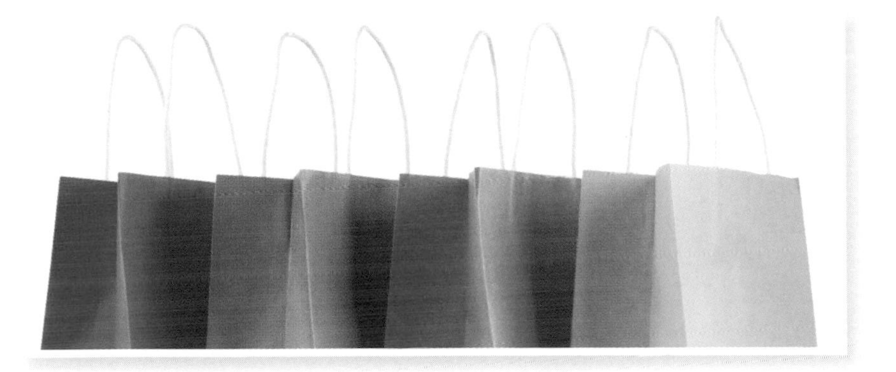

Je hoeft niet altijd (veel) geld uit te geven om iets leuks te doen:

- Veel dingen kun je tweedehands kopen of zijn zelfs gratis. Kijk op sites zoals: www.marktplaats.nl, www.boekwinkeltjes.nl, www.gratisoptehalen.nl, www.gratisaftehalen.nl, www.proefmonsters.nl of www.haalgratisaf.nl.
  Overleg eerst met je ouders voordat je gaat zoeken op internet.
- Je kunt familieleden ook verrassen met een zelfgemaakt cadeau, je hoeft niet altijd iets te kopen. Verras ze bijvoorbeeld met een lekker ontbijt.
- Er zijn ook allerlei sites met tips om als je niet rijk bent toch leuke dingen te kunnen doen. Kijk bijvoorbeeld eens op: www.nietrijkwelsmaak.nl.
- Maak gebruik van kortingsbonnen voor een leuk dagje uit.
- Vraag eens hoe je vrienden met geld omgaan. Het is misschien eng, maar de kans is groot dat zij tegen dezelfde dingen aanlopen als jij. Het is leuker om samen te besluiten minder uit te geven. Maak er een wedstrijd van ('wie geeft het minst uit per maand'). Wissel ideeën uit en help elkaar ('hoe hebben we een gezellige avond zonder dat we geld uitgeven').

**Tips voor het bijhouden van de administratie**

- Gebruik een simpele administratie.
- Ga elke keer na waarom je het doet (wat is je doel?).
- Zoek naar een systeem, een aanpak die bij jou past. Misschien niet dat kasboek van je moeder, maar wel het systeem dat je vriend ook gebruikt.
- Maak afspraken met jezelf om je administratie bij te houden, en noteer ze in je agenda.
- Probeer elke dag tijd te besteden om je kasboek bij te houden. Zorg dat het een routine wordt.

## Schulden

Financiële problemen of schulden ontstaan als je meer geld uitgeeft dan je hebt. Die schulden kunnen op verschillende manieren ontstaan. Als je koopt via internet betaal je meestal pas nadat je de goederen hebt ontvangen. Als je dit niet onthoudt en gewoon doorgaat met geld uitgeven, heb je ineens geen geld meer om de rekening te betalen. Zo ontstaat een schuld.

Het is belangrijk voor je 18e te leren hoe je met geld moet omgaan. Vanaf je 18e gaan namelijk veel zaken veranderen. Je krijgt meer verantwoordelijkheden en de daarbij horende rechten en plichten. Je hebt het recht om zelf contracten af te sluiten (bijvoorbeeld voor je telefoon), je kunt kopen via internet en ga zo maar door. Daar tegenover staat dat je ook de plicht hebt om te betalen.

*Kevin (19 jaar) heeft een schuld bij een telefoonmaatschappij van € 2.500. Hij is waarschijnlijk opgelicht. De oplichter vroeg hem twee abonnementen af te sluiten op zijn naam. Hij zou hier € 500 voor krijgen. Dat leek Kevin interessant. De oplichter kreeg de sim-kaarten en verkocht de abonnementen door aan anderen. Anderen konden nu bellen op rekening van Kevin. Kevin moest opdraaien voor de telefoonkosten, € 2.500! Kevin durfde zijn schuld niet met zijn ouders te bespreken. Deze situatie is zo uitzichtloos dat Kevin hulp van buitenaf nodig heeft om van zijn schulden af te komen, maar ook om te leren financieel bijdehand te worden.*

## Hoe ontstaan schulden?

De hoeveelheid geld die je bezit, verandert voortdurend. Er kan geld binnenkomen, dat zijn je inkomsten (salaris, zakgeld, kleedgeld of geld dat je krijgt als je jarig bent). Maar je geeft ook geld uit. Dat zijn je uitgaven (snoep, een cadeau, een tijdschrift, een telefoonabonnement). Als je meer uitgeeft dan je hebt, ontstaat een schuld.

Als je een telefoonabonnement hebt en je belt meer dan je abonnement, krijg je hoge rekeningen. Soms zijn die rekeningen zo hoog dat je die niet in één keer kunt betalen. Sterker nog, de maand erop moet je, naast de hoge rekening van de vorige maand, weer gewoon je abonnement betalen. Als je dan je uitgavenpatroon niet aanpast, ontstaat een grote schuld bij de telefoonmaatschappij. Prepaid bellen kan dit probleem al voor een deel oplossen.

Als je meer geld uitgeeft dan je op je bankrekening hebt staan, dan sta je rood. Over het bedrag dat je rood staat, moet je rente betalen. En dat komt dan boven op de schuld die je al hebt. Als je daar niets aan doet, wordt het verschuldigde bedrag steeds hoger.

Het lijkt misschien onschuldig, maar rood staan is niet zonder risico.

- Als je € 100 rood staat en je krijgt elke maand € 20 zakgeld, dan zou je (als je geen rekening houdt met rente) vijf maanden bezig zijn om je schuld af te lossen (5 maanden x € 20 = € 100). Dat betekent dat je in die vijf maanden geen geld hebt om andere uitgaven te doen. Bovendien moet je meer aflossen dan € 100, omdat je rente (bijvoorbeeld 10 %) moet betalen over de schuld. In werkelijkheid ben je dus langer bezig dan vijf maanden om de lening, schuld + rente (€ 100 + € 2,50) af te lossen. Zou je helemaal niet aflossen in deze periode, dan betaal je € 5 aan rente. Zie hiervoor de onderstaande tabel.

Inkomsten per maand

| | Lening | Aflossing | Rente 10% p.j. Rentebedrag per maand | Lening | Aflossing | Rente 10% p.j. Rentebedrag per maand |
|---|---|---|---|---|---|---|
| Maand 1 | € 100 | € 20 | € 0,83 | € 100 | € 0 | € 0,83 |
| Maand 2 | € 80 | € 20 | € 0,83 | € 100 | € 0 | € 0,83 |
| Maand 3 | € 60 | € 20 | € 0,83 | € 100 | € 0 | € 0,83 |
| Maand 4 | € 40 | € 20 | € 0,83 | € 100 | € 0 | € 0,83 |
| Maand 5 | € 20 | € 20 | € 0,83 | € 100 | € 0 | € 0,83 |
| Maand 6 | € 0 | | | € 100 | € 0 | € 0,83 |
| **Totale rente** | | | € 2,50 | | | € 5 |

- Een ander risico van rood staan is, dat nóg een beetje extra rood staan niet zo erg lijkt. Als je toch al € 100 rood staat, wat maakt die € 10 of € 20 extra dan uit? Maar zo wordt je schuld elke maand een klein beetje hoger en zit je er dus nog lange tijd aan vast. Daarbij komt dat de rente meegroeit met het geleende bedrag.

- Als laatste heb je te maken met het feit dat je een rotgevoel hebt van die schuld. Om daar een beetje van af te komen, 'trakteer' je jezelf op iets. Het maakt voor je gevoel toch niet meer uit, je kunt toch niets doen aan de schuld. Maar je komt hierdoor steeds verder in de problemen.

Kortom, als je niet oplet, heb je bij verschillende bedrijven een schuld die je niet zomaar kunt aflossen. Er zal echt iets moeten veranderen aan de manier waarop je met geld omgaat.

**Hoe komt het dat veel jongeren schulden hebben?**
Dat jongeren schulden hebben, heeft veel verschillende oorzaken. Belangrijke oorzaak is het feit dat je als jongere gevoeliger bent voor boodschappen in reclames. Reclames hebben een grote invloed op het koopgedrag. Daardoor schaf je sneller producten aan die je eigenlijk niet nodig hebt.
Verder willen jongeren er graag bijhoren en worden ze makkelijk beïnvloed door hun omgeving. Dat kan positief maar ook negatief zijn. Als je vrienden hebt die weten hoe ze met geld omgaan, zul je eerder geneigd zijn ook jouw uitgavepatroon in goede banen te leiden. Maar als je met vrienden omgaat die niet financieel bijdehand zijn, die schulden hebben en lenen, dan is de kans groot dat je dat gedrag op den duur overneemt.

Naast je vrienden hebben ook de media, waaronder televisie en tijdschriften, een grote invloed. De hoeveelheid reclame is de afgelopen jaren enorm toegenomen. Dag en nacht worden er reclames uitgezonden die speciaal zijn gemaakt voor de groep mensen die naar dat programma kijkt. Zo zul je bij omroep Max (speciaal voor ouderen) andere reclames zien dan bij BNN (speciaal voor jongeren).
Bedrijven doen veel onderzoek naar het gedrag van jongeren en spelen daar heel handig op in. Ze maken reclame over spullen die heel gewild zijn bij jongeren zodat zij verleid worden om die te kopen. Dan moet je sterk in je schoenen staan om niet aan die verleiding toe te geven. Doe je dat toch, terwijl je daar geen geld voor hebt, dan ontstaan schulden. Als je dan ook heel gemakkelijk over geld denkt en er nonchalant mee omgaat, rijzen je schulden in no time de pan uit.
Om financieel bijdehand te zijn en financieel in evenwicht te leven, is het noodzakelijk geen schulden te maken. En als je ze hebt, moet je je schulden zo snel mogelijk aflossen.

**Hoe kom je van je schulden af?**
Voor het aflossen van je schulden heb je geld nodig. Om te achterhalen hoe groot je schuld is, heb je niet alleen je kasboek nodig, maar ook een overzicht van je schulden.

Ga eens aan tafel zitten met pen en papier en maak een lijstje van je schulden. Denk aan je telefoonrekening, internetaankopen, leningen bij familie of vrienden of eventuele boetes. Vergeet niets, ook de kleine bedragen tellen mee.

*Bedragen*

| **Inkomsten per maand** | |
|---|---|
| Bijbaantje | +€ 80 |
| Oppassen | +€ 20 |
| **Totaal inkomsten** | **€ 100** |
| **Uitgaven per maand** | |
| Tussendoortjes | –€ 20 |
| Kleding | –€ 50 |
| Uitgaan | –€ 15 |
| Cadeaus | –€ 10 |
| Telefoon | –€ 20 |
| Sparen | –€ 10 |
| Hobby | –€ 10 |
| Vrije tijd | –€ 5 |
| **Totaal uitgaven** | **–€ 140** |
| **Schulden** | |
| Lening ouders | –€ 100 |
| Lening vriend 1 | –€ 10 |
| Lening vriend 2 | –€ 10 |
| **Totaal Schulden** | **–€ 120** |

Je hebt nu drie overzichten:

- Inkomsten
- Uitgaven
- Schulden

Uit het overzicht blijkt dat je meer uitgeeft dan je aan inkomsten hebt. Bovendien heb je schulden die zo snel mogelijk afgelost moeten worden. Hoe los je dit op?

Er zijn verschillende mogelijkheden:

- Je bespaart op je uitgaven.
- Je zoekt een baantje of vraagt aan je ouders om betaalde klusjes in huis te mogen doen zodat je meer geld hebt.

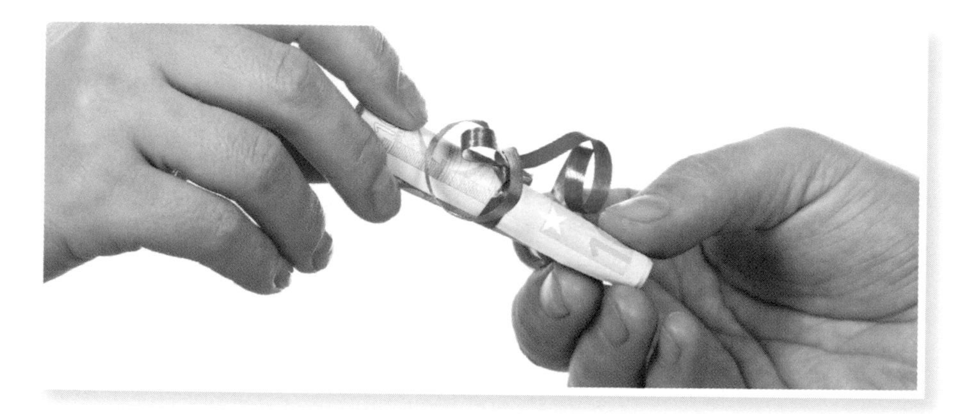

## Kies!

Nu je weet wat je inkomsten en uitgaven zijn en hoe je ermee moet omgaan, is de keuze aan jou. Neem je verantwoordelijkheid! Je hebt elke dag de mogelijkheid om zelf in actie te komen (pro-actief zijn) of een afwachtende houding aan te nemen (re-actief zijn). Als je jouw financiën op orde wilt krijgen, kun je niet langer blijven afwachten!

- Ben je er klaar voor om je zaakjes financieel op orde te hebben?
- Wil je schulden voorkomen en daardoor een financieel zekere toekomst tegemoet gaan?
- Ben je bereid om met een kleine inspanning je geen zorgen meer te hoeven maken over je geld?
- Wil je je ouders om raad vragen als je het even niet meer weet?
- Kun je nadenken voordat je iets doet?
- Ben je bereid de verantwoordelijkheid te nemen voor je eigen financiële gedrag?

Want daar draait het allemaal om. Niet meer denken: ach mijn ouders regelen het wel, of: zij lenen me wel even wat geld. Nee, jij bent verantwoordelijk en jij zult dus ook de keuze moeten maken om bij gebrek aan geld een oplossing te zoeken en te vinden.

Dus bewaar de bonnen, investeer tijd om je administratie op orde te hebben en geniet van het plezier om geld te kunnen uitgeven dat je ook daadwerkelijk hebt.

Om te weten welke keuze je moet maken, welke kant je op gaat, is het nuttig een doel voor ogen te hebben. Vergelijk het maar met een voetbalwedstrijd. Als je wilt winnen (je doel), zul je vaak meer bereiken. Je gaat ervoor knokken en je zult alles geven. Als het je niet uitmaakt of je wint of verliest, zal je spel daar ook naar zijn. De kans dat je verliest is dan groter.

*Citaat uit Alice in Wonderland:*
*Alice: 'Kunt u me vertellen welke kant ik op moet?'*
*Konijn: 'Dat hangt ervan af waar je naartoe wilt.'*
*Alice: 'Dat maakt me niet veel uit.'*
*Konijn: 'Dan maakt het ook niet uit welke kant je op loopt.'*

## Doel

Om te kunnen kiezen, is het belangrijk je doel te bepalen en dat ook voor ogen te houden. Denk na over wat je wilt en zorg ervoor dat het ook werkelijkheid wordt. Je zult prioriteiten moeten stellen. Het één doe je nog wel, maar andere zaken doe je niet meer. Sparen doe je wel, maar veel uitgeven aan tussendoortjes doe je niet meer.

Hoe bepaal je dat financiële doel? Dat betekent dat je gaat nadenken over hoe jouw financiële leven er over een paar jaar uit moet zien. Voldoende geld voor zaken die je belangrijk vindt, overzicht over je financiën en geen schulden?

Als je financieel op eigen benen wilt staan, zul je ook bepaalde stappen moeten nemen en je moeten houden aan bepaalde regels.

*Mark (17 jaar) wil zijn rijbewijs halen (zijn doel). Daar heeft hij € 1200 voor nodig. Dat zijn ongeveer dertig lessen van € 40 per uur. Om dit geld bij elkaar te sparen, heeft hij sinds een halfjaar een bijbaantje. Elke maand legt hij € 100 opzij. Dit is veel geld, maar het kost hem niet erg veel moeite. Hij vindt het belangrijk om zijn rijbewijs zelf te kunnen betalen.*

## Hoe kun je het aanpakken?

- Wat is je **doel**? Wat wil je bereiken?
  Formuleer je doel positief, schrijf het op en vertel het aan anderen.
  Dus bijvoorbeeld: Ik wil over één jaar hebben gerealiseerd dat ik niet meer rood sta (dus dat ik mijn schuld van €1.000 heb afgelost) en dat ik die financiële situatie kan volhouden.
- **Welke stappen** moet je zetten om te zorgen dat je het doel bereikt? Realiseer je dat het je wat kost om dat doel te bereiken.
  Dus bijvoorbeeld: Om die schuld van € 1.000 over een jaar weggewerkt te hebben, moet ik elke maand € 100 sparen. Om die situatie vol te houden moet ik een baantje zoeken.
- Doe het gewoon en **houd vol!**
  Je kunt er heel lang over praten, uitstellen en wachten tot het juiste moment is gekomen. Maar zoals Yoda, de Jedi-meester uit Star Wars zegt: 'Doen of niet doen. Proberen bestaat niet.'
- Reserveer **tijd** om je administratie te doen.
  Zorg elke dag dat je tijd vrijmaakt om je overzicht bij te werken.
- Denk na over de spullen die je **nodig** hebt: kasboek, bonnetjes, rekenmachine.
  Zorg ervoor dat alles klaarligt als je begint.
- **Beloon** jezelf als het maandelijks lukt om bijvoorbeeld € 10 te sparen.
  Een voorbeeld: Dan mag ik iets leuks doen.
  Beloon jezelf met iets dat geen geld kost. Dus ga niets kopen, maar doe iets dat gezellig is.

*Een niet opgeschreven doel is slechts een wens.'*

## Financieel bij de hand, samenvatting

Je inkomsten bestaan uit zakgeld/kleedgeld, geld dat je krijgt en eventueel geld dat je verdient met een baantje of een onderneming.

Uitgaven zijn te verdelen in twee categorieën. Als eerste de vaste uitgaven. Dat zijn uitgaven die elke week of maand terugkeren. De tweede categorie zijn de variabele uitgaven. Hieronder vallen alle overige kosten, zoals kosten voor kleding, eten/drinken, vervoer (bus, fiets), telefoon. Of je deze kosten maakt en de hoogte van de kosten hangt van jezelf af.
Geld dat je spaart is een soort vaste 'uitgave'.

Om te weten wat je inkomsten en uitgaven zijn, moet je een administratie bijhouden. Hierdoor krijg je zicht op je financiële situatie. Dit is de enige manier om je bewust te worden van je financiële gedrag en de consequenties die daaraan vastzitten.

Schulden ontstaan doordat je meer geld uitgeeft dan je hebt.
Er zijn twee mogelijkheden om van je schulden af te komen:
- Je bespaart op je uitgaven.
- Je zoekt een baantje of vraagt aan je ouders om betaalde klusjes in huis te mogen doen zodat je meer geld hebt en je de schulden kunt aflossen.

Nu je weet wat je inkomsten en uitgaven zijn en hoe je er mee moet omgaan – je bent nu financieel bijdehand – is de keuze aan jou!

# Over de auteurs

**Anske Plante** is professional organizer en controller bij een overheidsorganisatie. Ze heeft drie kinderen. Overzicht aanbrengen en behouden, om zo je doel te kunnen bereiken, is zowel belangrijk in haar werk als organizer, als ook in haar werk als controller. Inzicht hebben in je geldzaken lijkt eenvoudig. Maar in de praktijk valt het niet altijd mee. Dit merkte ze toen ze financiële opvoedvragen met haar eigen kinderen, maar ook met ouders besprak. Eenvoudige vragen bleken niet zo makkelijk te beantwoorden. Dit motiveerde haar om, samen met Annet, een zelfhulpboek voor ouders en kinderen te schrijven. In dit boek komen alle financiële opvoedvragen aan de orde.

**Annet Dries-Heetman** is werkzaam als professional organizer bij bedrijven en bij particulieren. Zij brengt structuur aan bij bedrijven door overzicht aan te brengen in agenda's, werkomgeving en werkprocessen. Bij particulieren draait het om het letterlijk opruimen van spullen zodat mensen rust en ruimte ervaren door de structuur die is ontstaan.
Overzicht aanbrengen in financiën is een onderdeel van haar werkleven maar ook van haar privéleven. Als moeder van drie kinderen heeft zij ondervonden dat financiële opvoeding belangrijk is. Door je financiële kennis te delen met je kinderen kun je ze voorbereiden op een evenwichtige financiële toekomst. De kennis die Annet vergaard heeft, wil ze graag delen met andere ouders. Dat heeft ertoe geleid dat ze samen met Anske dit boek heeft geschreven.

# Bibliografie

## Verantwoording

Pagina 21 – Terpstra, *Duidelijke ouders, Ouderschap in een verwarrende tijd*, 2008
Pagina 22 en 23 – uit *Hoe ouders de strijd met commercie aan kunnen gaan*, Moniek Buijzen, Onderzoekscentrum Jeugd en Media, UvA
Pagina 22 – *Opvoeddebat*, opgehaald van www.schoolplein.winkwaves.com
Pagina 23 – *Eerste STER-reclame 2 januari 1967*, www.youtube.com (1967, januari) opgehaald van www.ster.nl
Pagina 23 – *Gezin bij televisie*, afbeelding via www.muziekmuseum.skynetblogs.be
Pagina 26 – *Het grote boodschappenspel*, afbeelding afkomstig van Lassa
Pagina 32 – Het spaarblik van Brabantia, afbeelding afkomstig van Brabantia Branding
Pagina 66 – *Het zakgeldspel*, afbeelding afkomstig van Jumbo BV
Pagina 100 – Medewerker AH, beeldmateriaal verkregen via www.ah.nl
Pagina 105 – Zoutstaaf, afbeelding verkregen via Geldmuseum
Pagina 122 – *Bankafschrift*, verkregen via ABN AMRO

## Bibliografie

Aalbers-Van Leeuwen, Mirjam L. van, *Risico- en protectieve factoren in moderne gezinnen, In Pedagogiek*, 22e jaargang, nr 1 2002 (blz 41-54)
Claassen, A.P., *Overeenkomsten in financieel gedragvan kind en ouders*, ITS Nijmegen, 2008
Drew & Drew, *Fast Cash for Kids*, Career Press, 1991
Henselmans, Marieke - *Consuminderen met kinderen*, Van Gennep 2007
Heijst, Pim van en Verhagen, Stijn - *Geld rolt*, SWP, 2010
Jolles, Jelle, *interview Volkskrant*, maart 2003
Terpstra, J., *Duidelijke Ouders*, Boekencentrum, 2008
Buijzen, M., *Hoe ouders de strijd met commercie aan kunnen gaan*, Onderzoekscentrum voor Jeugd en Media, 2008
Nelis, Huub en Sark, Yvonne van - *Puberbrein binnenstebuiten*, Kosmos, 2010
Nibud, *diverse boeken*
Steendam, Maarten - *Jong en Schuldig*, Van Gennep, 2006
Thooft Lisette, *Kinderen van de rekening*, www.odemagazine.nl, november 2003
Verdegaal, Erica – *Geld en gezin*, Bert Bakker, 2006
Winter Micha de - *Verbeter de wereld, begin bij de opvoeding*, SWP, 2011

## Meer lezen?

Atkins, Sue - *Gelukkige kinderen opvoeden voor dummies*, Pearson Education, 2010
Bisschop, Marijke - *Opvoeden in een verwenmaatschappij*, Lannoo, 2005
Cazemier, Caja - *Survivalgids geld*, Ploegsma, 2005
Covey, Sean – *Zeven eigenschappen die jou succesvol maken*, Business Contact, 2008
Covey, Stephen - *De snelheid van vertrouwen*, Business Contact, 2008
Henselmans, Marieke - *Goed opgevoed, kijk wat je kind kan*, Van Gennep, 2006
Horsley, L. - *Geld groeit niet aan de bomen*, Imagebooks, 2003
Kiyosaki, R. - *Rijke pa, arme pa*, Succesboeken.nl, 2007

Lier, Bas van en Hees, *Elly - Het geldboek voor kinderen*, Ploegsma, 1998
Noort, Annelou van - *Tel je geld, zakgeldboek voor kinderen*, Tip&Top projectenbureau, 2010
Pearl, Jayne A. - *Kids and Money*, Bloomberg Press, 1999
Uijtenbogaardt, Barbelo C. - *Opvoeden, hoe doe ik dat*, Gopher, 2008
Verdegaal, Erica - *Alles voor je kind, hoe financiële opvoeding loont*, Prometheus, 1999
Verleyen, Karel - *Geld telt*, Davidsfonds-Infodok, 2003

## Dankwoord

Voor het tot stand komen van dit boek wil ik graag een aantal mensen bedanken: Anske, voor haar inspiratie en perfectionisme, het heeft het boek compleet gemaakt; Pieter, voor zijn enthousiasme en steun, als de juiste woorden er even niet waren; Jeroen, Daan en Ellen, voor hun geduld en kritische noten; mijn ouders, omdat zij mij geleerd hebben om goed met geld om te gaan.
*Annet*

Zonder Annet was alle tekst op de plank blijven liggen. Maar zij is een enorme optimist en daardoor kwamen we met onze tekst bij Els Neele van Forte terecht. Allereerst wil ik mijn ouders bedanken voor de financiële opvoeding die ze mij hebben gegeven. Op de tweede plaats wil ik René, Frank, Tim en Noortje bedanken. Ieder op hun eigen wijze hebben ze het mogelijk gemaakt dat ik dit boek kon schrijven. Voor Frank, Tim en Noor was het soms afzien. Op vrije middagen moest ik aan het boek werken. Daarnaast waren zij ook de "proeftuin" voor het boek. Andere familieleden lazen de drukproef mee (Heleen) of deden veel moeite om een voorwoord te regelen (Peter).
*Anske*

Veel dank aan Els Neele van Forte Uitgevers die ons boek direct `zag zitten`. Zij zorgde voor een team van redacteurs die al onze fouten herstelden en vormgevers die de droge tekst tot een mooi boek hebben gemaakt. Tijdens het schrijven van het boek hebben we van veel vrienden en kennissen input gekregen. En hebben we hen ook aan het werk gezet. Dit boek kon niet zonder hun inbreng worden geschreven. Monique Jannink maakte prachtige kasboekjes voor ons, die als illustraties zijn opgenomen in het boek. Bedankt hiervoor.
Verder willen we Jumbo, Brabantia, ABN-AMRO, AH, Lassa en het Geldmuseum bedanken voor de medewerking die zij verleenden.
Als laatste willen we Mirjam Sterk (Tweede Kamerlid, CDA) bedanken. Zij erkende het belang van het onderwerp door een voorwoord te schrijven.
*Anske en Annet*